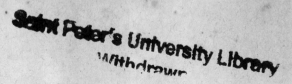
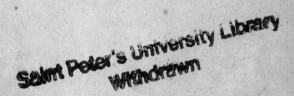

AN ANTHOLOGY OF
MEDIEVAL LATIN

d.m.

F. G. M. B.

✳

Joanna of Aragon, Queen of Naples
By Giulio Romano. *See page* 110

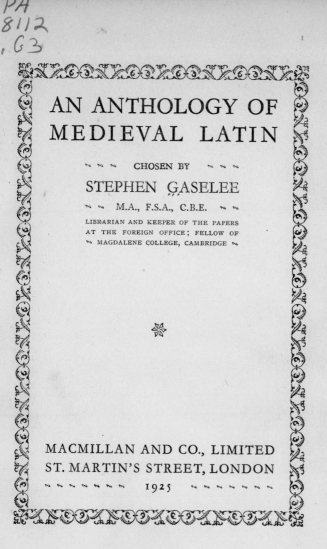

AN ANTHOLOGY OF MEDIEVAL LATIN

~ ~ ~ CHOSEN BY ~ ~ ~

STEPHEN GASELEE

~ ~ M.A., F.S.A., C.B.E. ~ ~

LIBRARIAN AND KEEPER OF THE PAPERS
AT THE FOREIGN OFFICE; FELLOW OF
~ MAGDALENE COLLEGE, CAMBRIDGE ~

MACMILLAN AND CO., LIMITED
ST. MARTIN'S STREET, LONDON
~ ~ ~ ~ ~ ~ ~ 1925 ~ ~ ~ ~ ~ ~ ~

COPYRIGHT

P R E F A C E

THE PIECES OF LATIN IN THIS
volume have been chosen in the course of desultory
reading with a view to the requirements and interest
of general readers—or perhaps I should say, of more
than one kind of student. The classical scholar with
any natural intellectual curiosity will not be prepared
to close his reading at the Silver Age, or even with
Claudian, but will want to see how the language of
his studies developed when Roman literature was no
more. The historian has Stubbs's Select Charters,
illustrating the constitutional history of England; but
he also needs medieval Latin which is not of this
country and differs in style from the rather stereo-
typed Charter language; and those who are studying
medieval languages, especially for such purposes as the
form which the Modern and Medieval Languages
Tripos has now taken at Cambridge, require a certain
familiarity with that part of the thought and culture of
the Middle Ages which was expressed in Latin—
there is no hard and fast distinction between the two—
and that which found its medium in the vernacular.
The interest then of the following selection is more
literary, and perhaps I may say social (using that

often abused word in its widest sense), than historical; and I will venture to claim for it one merit that may atone for the fact that it has not been made by a professional medievalist—namely, that it is impartial in its object, and is not put together in any particular interest. It has not been compiled to show the iniquity of the Pope and Popery, or to exalt feminism, or to combat Protestantism, or any other theory or institution; no piece, so far as I know, has been included or excluded for the opinions contained in it. The arrangement is nearly chronological; exceptions, occasionally made to keep similar subjects together, may be seen by reference to the Table of Contents. Explanatory notes have been kept down to the barest minimum sufficient to make the text intelligible to a person of moderate Latin acquirements : the point of such a Reader as this is lost if the task of reading is made too elementary.

I have not hesitated to include a certain number of passages of a period well past the Middle Ages. Latin is still a living language on paper though not orally, and the educated man will come across it occasionally in actual use. To stop at the Renaissance or the Reformation seems to me as great a mistake as to observe the downward limit, mentioned above, of the average classical student.

If any reader cares to study the subject more deeply, I will begin by discouraging him, and saying that there is no English book which he will find of much use.

For the earlier period (about as far as Prudentius, Saint Augustine, and Gregory of Tours) I would have him read Pierre de Labriolle's Histoire de la littérature latine chrétienne (*Paris*, 1920); *from then until somewhere about the year* 1100 *he will have the most detailed and painstaking* Geschichte der lateinischen Literatur des Mittelalters *of Max Manitius (Munich*, 1911–1923), *in which each writer is treated with a mass of historical and bibliographical detail, but (may I say it?) without much literary acumen, to a total of some fifteen hundred pages: for the later period my reader will have to depend on the invaluable* Bibliotheca latina mediae et infimae aetatis *of Fabricius, even if it does date from the early eighteenth century,*[1] *and I hope on casual and general reading in Migne's* Patrologia latina. *On the linguistic side I would recommend Nunn's* Introduction to Ecclesiastical Latin (*Cambridge*, 1922) *and, for more advanced students, Professor Grandgent's admirable* Introduction to Vulgar Latin (*Boston, U.S.A.*, 1907), *which contains a most valuable account of the way in which Latin slipped into the romance languages. For texts — I deliberately exclude those in learned periodicals — I would recommend the* Sammlung mittellateinischer Texte *edited by Alfons Hilka at Heidelberg, Carlo Pascal's* Poesia latina medievale

[1] There is an even earlier book of considerable use— Melchior Goldast's *Politica Imperialia*, Frankfort, 1614.

and Letteratura latina medievale (*Catania*, 1907 and 1909), *and* P. *Thomas's* Morceaux choisis de prosateurs latins et des temps modernes (*Ghent*, 1902). *I think highly of the last-named, though it is little known in this country. If Professor Thomas had included poetry in his selections, and had kept in mind literary interest as well as historical illustrations, I doubt if the present volume would ever have been begun.*

Except in 1 *I have printed* j *for consonantal* i; *the reader will find this good old fashion in most printed texts of medieval writers, and I should not be sorry to see it return to texts of the classical authors as well.*

My friend, Mr. F. R. Salter, Fellow of Magdalene College, Cambridge, has read the proofs, and given me some valuable suggestions; and I owe to him the selection of passages 6 *and* 25.

STEPHEN GASELEE

TABLE OF CONTENTS

x

AN ANTHOLOGY OF MEDIEVAL LATIN

I *ALTHOUGH THERE WAS A CON-TINUOUS LITERARY TRADITION, much of medieval Latin is derived from the spoken dialect (" vulgar Latin "), and the inscriptions which remain to us are therefore of value as being in the direct ancestry of the forms of speech of the Middle Ages. The following specimens from Pompeii and elsewhere show both the literary and vulgar type.*

(*a*) Hec venatio pugnabet v k. Septembres et Felix ad ursos pugnabet.[1]

(*b*) Africanus moritur, scribet puer Rusticus condisces, cui dolet pro Africano.[2]

---

[1] *Corpus Inscriptionum Latinarum*, iv. 1989. From Pompeii, and so, like the five following, earlier than A.D. 79. A gladiatorial announcement. *venatio*—a show in which wild beasts were killed.

[2] *C.I.L.* iv. 2258 *a* (*g*). From Pompeii. *condisces* = *condiscens* = *condiscipulus*.

(*c*) Labora, aselle, quomodo ego laboravi, et proderit tibi.[1]

(*d*) Minimum malum fit contemnendo maximum.[2]

(*e*) Mulus hic muscellas docuit.[3]

(*f*) Admiror, pariens, te non cecidisse ruinis,
     qui tot scriptorum taedia sustineas.[4]

(*g*) d.m.s. Maximus et Lascius duo fratres convenientes in uno hunc titulum nobis posuimus vivis, ut possemus at superos securius vitam bonam ger[e]re, qua fini fata volebant. Qui qua vita viximus una, numquam inter nos fecimus verbum amarum, voluptates secuti simus omnes, vitae nostre a nobis numquam quitquam negatum est. I[t]a tu qui legis, bona vita vive sodalis, quare post obitum [n]ec risus nec lusus [n]ec ulla voluptas erit. Have, Maximae. Menten

---

[1] Buecheler's *Carmina latina epigraphica* (Leipzig, 1895), 1798. Found both at Pompeii and Rome, in the latter beneath a picture of a donkey working a mill.

[2] *C.I.L.* iv. 1870. From Pompeii. A proverbial expression, probably scribbled by a schoolboy.

[3] *C.I.L.* iv. 2016 (*g*). From Pompeii. Another schoolboy's *graffito*.

[4] *C.I.L.* iv. 1904. From Pompeii. Also found in other places where there was a multitude of scribbles.

2

habae quod legeris, quare vita morti propior fit
cottidiae.   Vale.[1]

(*h*) Memoriae Navigi, v[ixit] a. xiiii ut dulcis flos
filius frunitus anima, ut rosa, ut narcissus.   Pa-
rentes December pater et Peculiaris mater filio
[p]io digno fecerunt fletes.   Vultus tuos intuen-
do solacio prestas.   Habebis memoriam . . . [2]

(*i*) d.m. Demetrius Aug[usti] dib[i] bibus fecit
sibi et Ulpliae Creste coniugi benemerenti et Fla-
viano Aug. lib. filio et filis suis et libertis liber-
tabusque posterisque suis.   Si quis donationis
eorum aea monumenta cum aedificis sui causa
dederit sive vendaere voluaerit, infaeret aerario
populi Romani centumilia nummum.[3]

(*j*) D.M. C. DOMITI PRIMI

Hoc ego su in tumulo Primus notissimus ille
      vixi Lucrinis, potabi saepe Falernum,

[1] *C*.I.L. ix. 3473.   From Peltuinum. *d.m.s.* = *dis manibus
sacrum*.   *at* = *ad*.   *menten habae* = *in mente habe*.   *e* and *ae*
are confused throughout, as in most of these inscrip-
tions : in medieval Latin *ae* is regularly written *e* or *ę*.
[2] *C*.I.L. viii. 19,606.   From Cirta.   *fletes* = *flentes*.
solacio prestas = *solacium praestas*.   After *memoriam* are
the letters *tra*, which may represent *ultra* or *eternam*.
[3] *C*.I.L. vi. 16,809.   *dibi bibus* = *divi vivus*.   *b* and *v*, as
e and *ae*, are throughout used almost indiscriminately.

3

balnia vina Venus mecum senuere per annos.
    hec ego si potui, sit mihi terra lebis.
set tamen ad Manes foenix me serbat in ara
    qui mecum properat se reparare sibi.[1]

(*k*) l[ocus] d[atus] fun[e]ri C. Domiti Primi a tribus Messis, Hermerote Pia et Pio.

> (*l*) Parbi sepulcrum corporis
>   parentum non botis datu,
>   quod fata properis cursibus
>   rapuere lucis usibus.
>   si nomen queres, qui leges,
>   mensem priorem cogita :
>   si qui fecerunt queritas,
>   parentes dixi, sufficit.[2]

(*m*) Vivit Q. Caelius Sp. f. Vivi[us] architectus navalis, vivit uxor Camidia M. l. Aphrodisia.

Hospes resiste et nisi molestust, perlege.
Noli stomacare.   Suadeo, caldum bibas.
                Moriundust.   Vale.[3]

---

[1] *C.I.L.* xiv. 914. From Ostia. *Lucrinis*, oysters. The last two lines of the verse show a curious pagan idea of resurrection or metempsychosis.

[2] *C.I.L.* x. 4183. From Caserta, rather late. The child's name was Januarius.

[3] *C.I.L.* x. 5371. From Termini. *molestust, moriundust = molestum est, moriendum est.* *caldum*, mulled wine.

4

(*n*) Dii iferi, vobis comedo, si quicqua sactitates
h[a]betes, ac tadro Ticene Carisi, quodqud agat,
quod incidat omnia in adversa. Dii iferi, vobis
comedo ilius memra, colore, figura, caput, ca-
pilla, umbra, cerebru, frute, supe[rcil]ia, os, na-
su, metu, bucas, larba, alitu, colu, iocur, umeros,
cor, pulmones, itestinas, vetre, bracia, dicitos,
manus, ublicu, visica, femena, cenua, crura,
talos, planta, dicitos. Dii iferi, si illa videro
tabescete, vobis sacrificiu lubes ob anuversariu
facere dibus parentibus iliu[s] voveo. Peculiu
ta[be]scas.¹

(*o*) Fuit mihi natibitas Romana. Nomen si quaeris, Iulia bocata so, que vixi munda cum byro
meo Florentio, cui demisi tres filios superstetes,
mox gratia dei percepi suscepta in pace neofita.²

(*p*) Aureliae Mariae puellae virgini innocentissi-
mae, sancte pergens ad iustos et electos in pace.
Quae vixit annos XVII, mesis V, dies XVIIII,

---

¹ *C.I.L.* x. 8249. From Minturnae. Magical. The curse
is inscribed on a leaden tablet, the forms being illiterate.
The members of the victim, Tychene, are devoted piece-
meal to the infernal deities. *comedo = commendo. tadro =
trado. frute = frontem. metu = mentum. ublicu = umbilicum.
visica = vesicam.* The second *dicitos* (*digitos*) means "toes".
² Marucchi, *Epigrafia cristiana*, 63. From the catacombs
of St. Calixtus at Rome. *bocata so = vocata sum. byro =
viro.* This and the following inscriptions are Christian.

sponsata Aurelio Damati diebus xxv.   Aurel.
Ianisireus veteranus et Sextilia parentis infelicis-
simae filiae dulcissimae ac amantissimae contra
vo[t]um, qui dum vivent habent magnum dolorem.   Martyres sancti, in mente havite Maria.[1]

(*q*) ✠ Hic requiescit in pace Argentia, qui bixit
plus minus annos xl.   Locum bero quem sibi
benerabilis abbatissa Gratiosa preparaberat se
vibam, mihi eum cessit.   Coniuro per Patrem
et Filium et Spiritum s̄c̄m̄ et diem tremendam
iudicii, ut nullus presumat locum istum, ubi re-
quiesco, violare.   Quod si qui pot anc coniu-
rationem presumserit, anatema abeat de Iuda et
repra Naman Syri abeat.[2]

(*r*) [Q]uiriace.   [Qua]mquam nul[l]um ab his
sorte et cond[ici]one esse inmunem [liqu]ido con-
stet, verum id nobis dolori est, quod rari exempli
[fem]ina, in qua iustitia mirabilis, innocentia
singularis, castitas [inc]onparabilis, obsequen-
tissima in omnibus, [abs]tinentissima orbatis
tribus lib[eri]s, qui una mecu huic sepulcr[o]
[prae]conia laudis eiusdem indiderunt, inma-
turis, [hym]nis sit a nobis ad quietem pacis
translata, cuique pro vitae suae [tes]timonium

---

[1] *C.I.L.* v. 1636.   From Aquileia.
[2] Marucchi, *op. cit.* 410.   From Rome, near Sta. Cecilia
in Trastevere.   *pot anc = post hanc.   repra = lepra.*

6

sancti martyres aput deum et ☧ erunt advocati. [Qu]ae vixit mecum inculpabiliter et cum omni suavitate [du]lcissime annis IIII, mensibus quinque, diebus duodecim.[1]

(*s*) Hic requiescit in pace Innocentius, qui deprecans s̄c̄m̄ Andream et s̄c̄m̄ Donatum et s̄c̄a̅ Iustina, ut si quis ista sepultura pos depositione eius aper[ir]e voluerit vel iusserit aperire, iudicium vestrum puniatur.[2]

2 *One of the most curious and interesting documents of Roman antiquity is the* Satyricon *of Petronius Arbiter, a realistic and "picaresque" novel of early Imperial times. It is probable that the author is to be identified with the Petronius who was for a time a kind of "Minister of Pleasure" to Nero, and put an end to himself in the intriguing circumstances described by Tacitus when accused by Tigellinus of being implicated in a plot against the Emperor. In this*

[1] Marucchi 118.   From Rome, found near San Lorenzo fuori.
[2] *Bullettino di archeologia cristiana*, ii. p. 15.   From Rimini. Note how the case-endings are beginning to drop off, showing the transition to the comparatively indeclinable substantives and adjectives of the romance languages.

case his writings may be put down to a date about A.D. *60. The novel describes the adventures of three disreputable young persons as they wander through the towns of Southern Italy ; we unfortunately possess it only in a very fragmentary state.*

There is, however, one long and almost complete episode, which describes a dinner party at the house of Trimalchio, a nouveau riche *; the guests are almost all of the freedman class, and speak a vulgar Latin which is allied both to that of the inscriptions and to the dialects which were afterwards to become the romance languages. The following passage (chapters* 44, 45*) represents the conversation of two of the guests—one a " grouser ", a* laudator temporis acti, *and the other something more of an optimist.*

" Quod ad me attinet, jam pannos meos comedi,[1] et si perseverat haec annona,[2] casulas [3] meas vendam. Quid enim futurum est, si nec dii nec homines hujus coloniae [4] miserentur ? Ita meos fruniscar,[5] ut ego puto omnia illa a diibus [6] fieri : nemo enim caelum caelum putat, nemo jejunium servat, nemo Jovem pili facit,[7]

[1] Sold or pawned for food.   [2] Price of victuals.
[3] Top-coats.   [4] Country-town.
[5] Profit by, enjoy the company of, my own children. Note the vulgar *fruniscor* for *fruor*, and the accusative instead of the classical ablative.
[6] Vulgar for *diis* or *dis*.   [7] Cares a straw for.

8

sed omnes opertis oculis bona sua computant. Antea[1] stolatae[2] ibant nudis pedibus in clivum, passis capillis, mentibus puris, et Jovem aquam exorabant : itaque statim urceatim[3] plovebat ; aut tunc aut nunquam ; et omnes redibant udi tanquam mures. Itaque dii pedes lanatos habent, qui nos religiosi non sumus. Agri jacent———" " Oro te ", inquit Echion centonarius,[4] " melius loquere. ' Modo sic, modo sic ',[5] inquit rusticus ; varium porcum perdiderat. Quod hodie non est, cras erit : sic vita truditur.[6] Non mehercules patria melior dici potest, si homines haberet : sed laborat hoc tempore, nec haec sola. Non debemus delicati esse, ubique medius caelus est.[7] Tu si aliubi fueris, dices hic porcos coctos ambulare. Et ecce habituri sumus munus excellente[8] in triduo die festa ; familia non lanisticia,[9] sed plurimi liberti. Et Titus

[1] In old days.
[2] The *stola* was the long ceremonial dress of women.
[3] In jugfuls.   [4] The rag-and-bone man.
[5] Now one thing, now another. " What we lose on the swings, we make up on the roundabouts."
[6] That's the way of life (lit. that is how life is pressed on ; *cf.* Horace's " truditur dies die ").
[7] The same heaven is over us all.   Note *caelus* for *caelum*.   [8] Vulgar neuter for *excellens*.
[9] *i.e.* not of the ordinary professional slave class, but manumitted gladiators who had returned to the profession through pure love of it.

noster magnum animum habet et est caldicere-
brius [1] : aut hoc aut illud erit, quid utique.[2]
Nam illi domesticus sum, non est mixcix.[3] Ferrum [4] optimum daturus est, sine fuga, carna-
rium in medio, ut amphitheater videat. Et habet
unde : relictum est illi sestertium tricenties, decessit illius pater male. Ut quadringenta im-
pendat, non sentiet patrimonium illius, et sem-
piterno nominabitur."

3 *The history of the pre-Vulgate Latin Bible is still
obscure ; it is not even certain whether there was one,
or more than one, version of what is called the* Vetus
Latina *or the* Itala. *In any case the latter name is
probably misleading, as it is likely that it arose not
in* Rome, *where the early Christians were long a com-
munity that spoke mostly Greek or at least understood
it, nor even in Italy at all, but in* Northern Africa.
*When St. Jerome came to revise these old texts and
produce the standard edition which is now called the
Vulgate, he confined himself almost completely to the
canonical books : of the Apocrypha he dealt only with
Judith and Tobit. This is natural enough, for his in-*

---

[1] Hot-headed, with a fiery temper.
[2] Something good anyhow.
[3] No half-measures about him. [4] A fighting show.

terests were rather in the Hebrew text than the Greek, and the Apocrypha exists in a Greek text alone (the Hebrew original of Ecclesiasticus has only lately been discovered).   In consequence, the Apocrypha remains in the Old Latin version which, for the canonical books, we have only in a fragmentary state—a little in manuscripts, and more in quotations in the earliest Latin Fathers.   The following passage contains the curious account of the armed elephants in a battle between Judas Maccabaeus and Antiochus Epiphanes (Maccabees I. vi. 33 sqq.).

It would be rash to pronounce with certainty the date of this version, especially perhaps in one of the apocryphal books ; but the Bible seems to have been complete in Latin by the end of the second century, and we may fairly take A.D. 200 as an approximate estimate.

Et surrexit rex ante lucem, et concitavit exercitus in impetum contra viam Bethzacharam : et comparaverunt se exercitus in praelium, et tubis cecinerunt : et elephantis ostenderunt sanguinem uvae et mori,[1] ad acuendos eos in praelium. Et diviserunt bestias per legiones : et astiterunt singulis elephantis mille viri in loricis concatenatis, et galeae aereae in capitibus eorum, et quingenti equites ordinati unicuique bestiae electi

[1] Grapes and mulberries.   A mysterious passage : the idea is that the elephants were shown some red liquor, which would give them a taste for blood.

erant. Hi ante tempus [1] ubicunque erat beſtia, ibi erant : et quocunque ibat, ibant, et non discedebant ab ea. Sed et turres ligneae super eos firmae protegentes super singulas beſtias : et super eas machinae : et super singulas viri virtutis triginta duo, qui pugnabant desuper : et intus [2] magiſter beſtiae. Et residuum equitatum hinc et inde ſtatuit in duas partes tubis exercitum commovere et perurgere conſtipatos in legionibus ejus. Et ut refulsit sol in clipeos aureos et aereos, resplenduerunt montes ab eis, et resplenduerunt sicut lampades ignis. Et diſtincta eſt pars exercitus regis per montes excelsos, et alia per loca humilia : et ibant caute et ordinate. Et commovebantur omnes inhabitantes terram a voce multitudinis eorum et incessu turbae et collisione armorum ; erat enim exercitus magnus valde et fortis. Et appropiavit [3] Judas et exercitus ejus in praelium : et ceciderunt de exercitu regis sexcenti viri. Et vidit Eleazar filius Saura unam de beſtiis loricatam loricis regis, et erat eminens super ceteras beſtias,

[1] Beforehand.
[2] A miſtake, properly correĉted into *Indus* in the beſt editions of the Latin Bible. The point is that the *mahout* was an Indian, not that he sat inside the turret or *howdah*.
[3] *Appropio* is regularly found in the Old Latin version where the Vulgate has the more classical *appropinquo*.

et visum est ei quia in ea esset rex : et dedit se ut
liberaret populum suum et acquireret sibi nomen aeternum. Et cucurrit ad eam audacter in
medio legionis interficiens a dextris et a sinistris,
et cadebant ab eo huc atque illuc. Et ivit sub
pedes elephantis et supposuit se ei, et occidit
eum : et cecidit [1] in terram super ipsum, et mortuus est illic.

4 *The famous hymns of St. Ambrose were probably* 3̶8̶0̶
written a little before he was besieged with his people, in
the Portian Basilica at Milan, by the troops of the
Empress Justina in A.D. *386. One of the most in-*
dividual is that which he, as discoverer, wrote in honour
of the Milanese saints Gervasius and Protasius, cele-
brating the finding of their bodies on June 19th. *St.*
Augustine was then teaching rhetoric at Milan, and
he relates the event in his Sermons, 286, 4 : " *Cele-*
bramus hodierno die, fratres, memoriam in hoc loco
positam sanctorum Protasii et Gervasii, Mediolanen-
sium martyrum. Non eum diem quo hic posita est, sed
eum diem celebramus, quando inventa est pretiosa in
conspectu Domini mors sanctorum ejus per Ambro-

[1] A change of subject. " The elephant fell upon him,
and Eleazar died there."

sium episcopum, hominem Dei, cujus tunc sanctae gloriae martyrum etiam ego testis fui. Ibi eram, Mediolani eram, facta miracula novi, attestante Deo pretiosis mortibus sanctorum suorum; ut per illa miracula jam non solum in conspectu Domini, sed etiam in conspectu hominum esset mors illa pretiosa. Caecus notissimus universae civitati illuminatus est. Cucurrit, adduci se fecit, sine duce reversus est. Nondum audivimus quod obierit; forte adhuc vivit. In ipsa eorum basilica, ubi sunt eorum corpora, totam vitam serviturum se esse devovit. Nos illum gavisi sumus videntem, reliquimus servientem." The curious may compare the somewhat cynical account of the event given by Gibbon, chapter 27.
The metre of the hymn is iambic dimeter (four iambic feet), scanned according to strictly classical standards: "resolved feet"—a dactyl and an anapaest for an iambus—are found in lines 4 and 18.

Grates tibi, Jesu, novas
Novi repertor muneris
Protasio, Gervasio
Martyribus inventis cano.

Piae latebant hostiae,
Sed non latebat fons [1] sacer :
Latere sanguis non potest,
Qui clamat ad Deum patrem.

[1] *i.e.* of blood, as explained in the next line.

Caelo refulgens [1] gratia
Artus revelavit sacros :
Nequimus esse martyres,
Sed repperimus martyres.

Hic quis requirat testium
Voces, ubi factum est fides ?
Sanatus impos mentium
Opus fatetur martyrum.

Caecus recepto lumine
Mortis sacrae meritum probat :
Severus est nomen viro,
Usus minister publici. [2]

Ut martyrum vestem attigit
Et ora tersit nubila,
Lumen refulsit illico
Fugitque pulsa caecitas.

Soluta turba vinculis
Spiris draconum [3] libera,
Emissa totis urbibus
Domum redit cum gratia.

---

[1] Shining from heaven.   A dream led to the discovery.
[2] An officer of the public service.
[3] = *daemonum.*

Vetusta saecla vidimus,[1]
Jactata semicinctia,
Tactuque et umbra corporum
Aegris salutem redditam.

5 *Etheria, an Abbess of Galicia in the extreme
north-west of Spain, went on a pilgrimage to the
Holy Land towards the end of the fourth century,[2]
and on her return journey wrote and sent home from
Constantinople an account of her experiences for the
benefit of her sister nuns. She travelled outward by
way of Constantinople and Antioch, but the account
of her travels which remains to us deals with three
excursions from Jerusalem, one to Mount Sinai and
the route of the Exodus, the second to Mount Nebo
in Moab and its neighbouring heights, and the third
to Jericho and up the Jordan valley to Mount Tabor.
On her homeward journey she made a detour from
Antioch to visit Hierapolis and Edessa, and then
returned to Constantinople by way of Tarsus. In*

[1] The miracles of the early days of the Church, as for
instance those recounted in Acts v. 15 and xix. 12.
[2] There is another theory that her home was more in
the direction of Marseilles or Arles, and the date of her
journey in the middle of the sixth century. The view
explained above is, however, held by the best modern
scholars.

16

addition to the story of her travels, she gives a careful account of the liturgical services as performed at Jerusalem during her visit.

She was a person of considerable social importance, and well educated, with some knowledge of Greek ; but wrote in a rather conversational type of Latin, which shows traces of the beginning of the changes which were to result in the romance languages.

The most convenient edition of the Peregrinatio Aetheriae [1] ad loca sancta *is that of W. Heraeus, Heidelberg,* 1908 ; *English translation, with careful introduction by Mrs. M'Clure and Dr. C. L. Feltoe, London, S.P.C.K. n.d. (*1919 ?*).*

Etheria has reached the foot of Mount Sinai, and the following passage (iii. 1*) relates her ascent.*

Nos ergo sabbato sera [2] ingressi sumus montem, et pervenientes ad monasteria quedam suscepe-runt nos ibi satis humane monachi qui ibi com-morabantur, praebentes nobis omnem humani-tatem ; nam et ecclesia ibi est cum presbytero. Ibi ergo mansimus in ea nocte, et inde maturius die dominica cum ipso presbytero et monachis, qui ibi commorabantur, cepimus ascendere montes singulos, qui montes cum infinito labore

[1] Formerly called the *Peregrinatio Silviae* from a wrong identification of the writer with St. Silvia of Aquitaine.
[2] This word does not agree with *sabbato*, but is the ablative of a late substantive *serǎ*. The expression means " on Saturday in the evening ".

ascenduntur, quoniam non eos subis lente et lente per girum, ut dicimus in cocleas,[1] sed totum ad directum subis ac si per parietem, et ad directum descendi necesse est singulos ipsos montes, donec pervenias ad radicem propriam illius mediani, qui est specialis Syna.

Ac sic ergo jubente Christo Deo nostro adjuta orationibus sanctorum qui comitabantur, et sic cum grandi labore, quia pedibus me ascendere necesse erat, quia prorsus nec in sella ascendi poterat, tamen ipse labor non sentiebatur ; ex ea parte autem non sentiebatur labor, quia desiderium, quod habebam, jubente Deo videbam compleri : hora ergo quarta pervenimus in summitatem illam montis Dei sancti Syna, ubi data est lex ; in eo id est loco ubi descendit majestas Domini in ea die qua mons fumigabat.

6 *There is curiously little contemporary evidence of the true character and actual events of the Anglo-Saxon conquest of Britain : we are therefore driven to writers whose authority is not always of the best. Of such, one of the most valuable is Gildas*[2] *"the*

---

[1] " Snail-wise."
[2] Probably a Roman Briton, who lived in the west of England about 504–570.

Wise ", who, in the middle of the sixth century, wrote a pathetic account of the conquest from the British point of view. A certain amount of tolerably reliable information is to be gathered from his writings, although the greater part of his work is devoted to denunciations of his fellow-countrymen, whose wickedness had thus called down the divine wrath upon them, using the pagan invaders as its instruments. Gildas also finds a place for a solid array of legends which confuse without convincing, though in this he is not so great an offender as Nennius, the other British historian of the Conquest: a later writer and in all ways less trustworthy; yet it is to him that we owe our knowledge of Arthur as a real character—no mystical being of Romance, but a prosaic and successful Romano-British general, of much the same kind as that Ambrosius Aurelianus whose exploits are here chronicled, De excidio Britanniae, chap. 25. It will be noticed that Gildas quotes Virgil as well as the Psalms.

Itaque nonnulli miserarum reliquiarum in montibus deprehensi jugulabantur : alii fame confecti accedentes manus hostibus dabant in aevum servituri, si tamen non continuo trucidarentur, quod altissimae gratiae stabat loco : alii transmarinas petebant regiones cum ululatu magno ceu celeumatis vice hoc modo sub velorum sinibus cantantes : " Dedisti nos tanquam

19

oves escarum, et in gentibus dispersisti nos " :
alii montanis collibus minacibus praeruptis val-
latis et densissimis saltibus marinisque rupibus
vitam suspecta semper mente credentes, in
patria licet trepidi perstabant. Tempore igitur
interveniente aliquanto, cum recessissent domum crudelissimi praedones, roborante Deo re-
liquiae, quibus confugiunt undique de diversis
locis miserrimi cives, tam avide quam apes al-
vearii procella imminente, simul deprecantes
cum toto corde, et, ut dicitur, *innumeris onerantes
aethera votis*, ne ad internicionem usque dele-
rentur, duce Ambrosio Aureliano viro modesto,
qui solus forte Romanae gentis tantae tempesta-
tis collisione, occisis in eadem parentibus pur-
pura nimirum indutis, superfuerat, cujus nunc
temporibus nostris suboles magnopere avita
bonitate degeneravit, vires capessunt, victores
provocantes ad proelium : quis victoria, Domino annuente, cessit.

7 *The notaries of Merovingian—and Carlovingian
—France had forms and precedents to enable them
to draw up the various legal instruments which they
would require in the course of their business. The
following form for a conveyance of land to an Abbey*
20

*was for use in Anjou in the first half of the sixth
century : it is taken from K. Zeumer's "Formulae"
(p. 13, no. 27) in Section V. of the* Monumenta
Germaniae historica, *Hanover*, 1886.

INCIPIT VINDICIO PROPRIETATE

Domino venerabile et in Christo patri illo [1] abbate ego illi et conjux mea illa. Constat nus
vindedissemus, et ita vindedimus vobis terra
proprietatis nostre in loco nuncupante illo, et
accipi proinde precio de vobis, in quod nobis
conplacuit, hoc est in argento soledus tantus, ut
quicquid de ipsa terra proprietatis nostrum, que
nus bona volumtate vobis venondammus facere
volueris, liberam in omnibus habeas potestatem.
Et si quis de nus ipsis aut de propinquis nostris
vel qualibet extranea persona, qui contra hanc
vindicione agere conaverit, inferit inter vobis
et fisco, conponere debiat soledus tantus, et quod
repetit vindicare non valeat, et haec vindicio
perenni tempore firma permaneat, stibulacione
subnixa.

[1] N. or M.   For the case-endings see note 2 on p. 7.

8 *This hymn in the Bangor Antiphonary—it is found nowhere else—is probably of the seventh century, or the very late sixth. It is known by Dr. Neale's translation in England* (Hymns Ancient and Modern 313, English Hymnal 307), *and is almost certainly of Irish origin. It is a* Communio *—i.e. a hymn to be sung during the communion of the people ; in modern liturgies the* Communio *is in prose, often a verse of the Psalms. Written in iambic trimeters, mostly accentual but with some metrical element, it is a fine example of the noble, if a little rugged, simplicity of an early date.*

Sancti [1] venite, Christi corpus sumite,
Sanctum [1] bibentes quo redempti sanguine, [2]

Salvati Christi corpore et sanguine,
A quo refecti laudes dicamus Deo.

Hoc sacramento corporis et sanguinis
Omnes exuti ab inferni faucibus.

Dator salutis, Christus filius Dei,
Mundum salvavit per crucem et sanguinem.

Pro universis immolatus Dominus
Ipse sacerdos exstitit et hostia.

[1] A reminiscence of the liturgical *Sancta sanctis.*
[2] Attracted into the ablative of the relative clause.

Lege praeceptum immolari hostias,
Qua adumbrantur divina mysteria.

Lucis indultor et salvator omnium
Praeclaram sanctis largitus est gratiam.

Accedant omnes pura mente creduli,
Sumant aeternam salutis custodiam.

Sanctorum custos, rector quoque, Dominus
Vitae perennis largitor credentibus,

Caelestem panem dat esurientibus,
De fonte vivo praebet sitientibus.

Alpha et Ω [1] ipse Christus Dominus
Venit, venturus judicare homines.

---

[1] It is not possible to write *omega*, as this name for the Greek long $\bar{o}$ was invented much later than the date of this hymn.   Nor can it be a monosyllabic long $\bar{o}$ as in the hymn *Corde natus* (Prudentius, *Cathemerinon* 9), " Alpha et Ω cognominatus ", as a disyllable is required for the metre.   Probably we should pronounce $\bar{o}\bar{o}$: the letter ω is formed of oo written twice and coalescing.

9 *Among the little Latin of the early Middle Ages which can lay claims to any literary excellence are the writings of the Venerable Bede (673–735). The monk of Jarrow was not merely the father of English history, and a learned scholar with a knowledge of Greek most rare at the time, but also the possessor of a style of all but classical purity: it combined simplicity and vigour, and was almost free from the pompous and often ungrammatical affectations which disfigured the writings of so many of his contemporaries. His work was further characterized throughout by keen intellectual honesty and a desire to be fair to his opponents, here again affording a striking contrast to other authors of his time. There is a famous and touching account of his last hours derived from the letter of one of his disciples, Cuthbert, to another disciple, Cuthwin. Mention may also be made of the story of the monk who, trying to write his epitaph, could get no further than the imperfect line: "Hic sunt in fossa Bedae . . . ossa", and went despairingly to bed, only to find in the morning that angelic hands had finished the unfinishable line by inserting the word "Venerabilis", thus not only making the Leonine verse run smoothly, but fixing once for all on the subject of the line an epithet which became as inseparable from his name as it was appropriate to his character. Apart from the saintliness of his life, his fame is largely derived from his great "Ecclesiastical history of the English nation": he*

24

*was an indefatigable author, and wrote many other
books, among which especial mention may be made of
the* De natura rerum, *displaying as it does an unusually sound philosophical tendency in the mind of its
author. In most matters of scientific knowledge and
speculation the early Middle Ages retreated from the
positions won by the thinkers of classical times, but
here again Bede was an exception, and his work has
been described as " an advance, not a retrogression of
human knowledge"—faint praise, perhaps, but with
a genuine meaning if we think of the sterility of in-
tellect displayed by such a book as the " Etymologies"
of St. Isidore. The extract her given is taken from
the* De temporum ratione, *a curious blending of
astronomical and historical information. The six
ages of the world are described fairly fully down to the
reign of Leo the Isaurian, and the present age and the
two which are to come are thus summarized.*

Sexta, quae nunc agitur, aetas nulla generatio-
num vel temporum serie certa est, sed ut aetas
decrepita ipsa totius saeculi morte consum-
manda. Has aerumnosas plenasque laboribus
mundi aetates quicumque felici morte vicerunt,
septima jam sabbati perennis aetate suscepti,
octavam beatae resurrectionis aetatem, in qua
semper cum Domino regnent, expectant.

*The book ends with a fuller passage in the same key,
part of which (ch. lxxi) runs as follows :*

25

Et haec est octava illa aetas semper amanda
speranda suspiranda fidelibus, quando eorum
animas Christus incorruptibilium corporum
munere donatas ad perceptionem regni caelestis
contemplationemque divinae suae majestatis in-
ducat : non auferens gloriam, quam exutae cor-
poribus a suae quaeque egressionis tempore
beata in regina perceperant, sed majore illas
gloria etiam corporum redditorum accumulans :
in cujus continuatae et non interruptae beatitudinis typum Moyses cum sex illos dies primos,
quibus factus est mundus, a luce et mane in-
choatos ad vesperam terminatos dixisset ; in
septimo, quo requievit Deus ab operibus suis,
solius mane, non autem et vespere facit mentionem. Sed cuncta, quae de eo commemo-
randa putavit, aeternae requiei et benedictionis
luce conclusit. Quia sicut et supra meminerimus, cunctae hujus saeculi aetates sex, in quibus
justi Domino cooperante bonis operibus insi-
stunt, ita sunt suprema ordinatione dispositae, ut
in primordiis suis singulae aliquid laetarum
rerum habentes non parvis erumnarum tenebris
praessurarumque consummantur. Requies vero
animarum, quam pro bonis operibus in futuro
saeculo percipiunt, nulla umquam aurae alicujus

26

anxietate turbata deficiet, sed ubi tempus Judicii et Resurrectionis advenerit, gloriosiore perpetuae beatitudinis perfectione complebitur. Conparatur his aetatibus sacratissimum dominicae Passionis Sepulturae et Resurrectionis tempus. Legimus enim scribente evangelista Johanne, quia Jesus ante sex dies paschae venit Bethaniam, ubi devotae mulieris officio Judas offensus prodidit eum sacerdotum principibus. In crastinum autem ipse veniens in asino Hierosolymam cum turba Domino laudes canentium, per continuos v dies insidiosis eorum questionibus appetitus sexta demum die crucifixus est : septima requievit in sepulcro, octava autem, id est, una Sabbati, resurrexit a mortuis. . . . Et nos non solum post septem volubilis hujus saeculi dies, sed etiam post saepe memoratas septem aetates in octava aetate simul et die resurgemus. Quae vitae dies in se quidem ipsa mansit semper, manet et manebit aeterna, sed nobis hinc incipiet, cum ad eam videndam meminerimus intrare, ubi quo actu occupentur Sancti, perfecta spiritus et corporis immortalitate renovati, testatur Psalmista, qui Deo per laudem amoris canit : Beati, qui habitant in domo tua, in saeculum saeculi laudabunt te. Quo visu delectentur, idem consequenter exponit: etenim benedictionem dabit, qui legem dedit, ambulabunt de virtute in virtutem, videbitur Deus deo-

27

rum in Sion.   Quales ad hanc venire possint,
ipse qui eſt via, veritas, et vita, teſtatur Dominus : Beati mundo corde, quoniam ipsi Deum
videbunt.   Ergo noſter libellus de volubili ac
fluƈtivago temporum lapsu descriptus oportunum de aeterna ſtabilitate ac ſtabili aeternitate
habeat finem.   Quem rogo si quis leƈtione dignum rati fuerint, me suis in praecibus Domino
commendent, piaque apud Deum et proximos,
quantum valent, agant induſtria, ut poſt tem-
porales caeleſtium aƈtionum sudores, aeternam
cunƈti caeleſtium praemiorum mereamur acci-
pere palmam.

⁂⁂⁂⁂⁂⁂⁂⁂⁂⁂

980

10 *In* A.D. 589 *Autharis, who had been eleƈted king
of the Lombards, wished to find a wife : and the
circumſtances of his wooing of Theodelinda, the
daughter of Garibaldo duke of Bavaria, show that
the knight-errantry or chivalrous gallantry of the
Middle Ages is not now far diſtant. This account is
from the* De geſtis Langobardorum (*iv.* 29) *of
Paulus Diaconus, sometimes called Paul Winfrid or
Warnefrid, the latter being his father's name, who was
of pure Lombard ſtock.   His anceſtors in the fourth
generation had settled at Fréjus, and he ſpent the
earlier part of his life there.   He was taken to France*
28

*by Charlemagne, and later became a monk of Monte
Cassino.   He died* A.D. 799.

Flavius vero rex Authari [1] legatos post haec ad
Bajoariam misit, qui Garibaldi eorum regis
filiam sibi in matrimonium peterent.   Quos ille
benigne suscipiens, Theudelindam suam filiam
Authari se daturum promisit.   Qui legati rever-
tentes cum haec Authari nuntiassent, ille per
semetipsum suam sponsam videre cupiens,
paucis secum sed expeditis ex Langobardis ad-
hibitis, unumque sibi fidelissimum et quasi
seniorem secum ducens, sine mora ad Bajoariam perrexit.   Qui cum in conspectu Garibaldi
regis, juxta morem legatorum, introducti essent,
et is qui cum Authari quasi senior venerat, post
salutationem verba, ut moris est, intulisset,
Authari, cum a nullo illius gentis cognosceretur,
ad regem Garibaldum propius accedens, ait :
" Dominus meus Authari rex me proprie ob hoc
direxit, ut vestram filiam ipsius sponsam, quae
nostra domina futura est, debeam conspicere, ut
qualis ejus forma sit meo valeam domino certius
nuntiare ".   Cumque rex haec audiens filiam
venire jussisset, eamque Authari, ut erat satis
eleganti forma, tacito nutu contemplatus esset,
eique per omnia satis complacuisset, ait ad regem:

[1] Nominative—or rather *Authari* is treated as an indeclinable substantive.

" Quia talem vestrae filiae personam cernimus, ut eam merito nostram reginam fieri optemus, si placet vestrae potestati, de ejus manu, sicut nobis postea factura est, vini poculum sumere praeoptamus ". Cumque rex id fieri debere annuisset, illa, accepto vini poculo, ei prius qui senior esse videbatur propinavit. Deinde cum Authari, quem suum esse sponsum nesciebat, porrexisset, ille, postquam bibit ac poculum redderet, ejus manum nemine animadvertente digito tetigit, dexteramque suam sibi a fronte per nasum ac faciem produxit. Illa hoc suae nutrici rubore perfusa nuntiavit : cui nutrix sua ait : " Iste nisi ipse rex et sponsus tuus esset, te omnino tangere non auderet. Sed interim sileamus, ne hoc patri tuo fiat cognitum. Re enim vera digna persona est quae tenere debeat regnum et tuo sociari conjugio." Erat autem tunc Authari juvenili aetate floridus, statura decens, candida crine [1] perfusus, et satis decoro aspectu. Qui mox a rege commeatu accepto, iter patriam reversuri arripiunt, deque Noricorum finibus festinanter abscedunt. . . . Denique post aliquod tempus, cum propter Francorum adventum perturbatio Garibaldo regi advenisset,

[1] There is a variant reading " flava caesarie ", which sounds perhaps more in our accordance with the standards of youthful beauty. At any rate Autharis was a fine specimen of the fair-haired Lombard.

30

Theudelinda ejus filia cum suo germano, nomine
Gundoald, ad Italiam confugit, seque adventare
Authari sponso nuntiavit. Cui ſtatim illé obviam cum magno apparatu nuptias celebraturus
in campo Sardis, qui supra Veronam eſt, occur-
rens, eandem cunctis laetantibus in conjugium
Idus Maias accepit.

*Their married life, though happy, did not laſt very
long; and by the time Autharis died, after a reign
of six years, the Lombards had become so fond of
Theodelinda that they agreed to make king whomever
she might choose as her second husband. The
manner of signifying her choice of Agilulf is ſtrangely
reminiscent of her own courting by Autharis.* (Op.
cit. *ch*. 34.)

Reginam Theudelindam, quae satis placebat
Langobardis, permiserunt in regia consiſtere
dignitate, suadentes ei ut sibi quem voluisset ex
omnibus Langobardis virum eligeret, talem
scilicet qui regnum regere utiliter posset. Illa
vero consilium cum prudentibus habens, Agi-
lulfum ducem Taurinatium et sibi virum et
Langobardorum genti regem elegit. Erat enim
isdem vir ſtrenuus et bellicosus, et tam forma
quam animo ad regni gubernacula coaptatus.
Quem statim regina ad se venire mandavit, ipsa-
que ei obviam ad Laumellum oppidum propera-
vit. Qui cum ad eam venisset, ipsa sibi poſt

aliquot verba vinum propinari fecit: quae cum
prior bibisset, residuum Agilulfo ad bibendum
tribuit. Is cum reginae accepto poculo manum
honorabiliter osculatus esset, regina cum rubore
subridens non debere sibi manum osculari ait,
quem osculum sibi ad os jungere oporteret.
Moxque eum ad suum basium erigens, ei de
suis nuptiis deque regni dignitate aperuit.
Quid plura? Celebrantur cum magna laetitia
nuptiae; suscepit Agilulfus, qui erat cognatus
regis Authari, inchoante jam mense Novembris,
regiam dignitatem. Sed tamen congregatis in
unum Langobardis, postea mense Maio ab omnibus in regnum apud Mediolanum levatus est.

I I *Asser, the friend and biographer of our King
Alfred (born* 848), *was a monk of St. David's.
He came to the King's Court about* 884; *the King
wished him to remain with him permanently, but he
felt that he had duties at home, and it was arranged
that he should spend half of each year with the King
and half in Wales. At a later time Alfred be-
stowed upon him* "Exanceastre (Exeter), *cum omni
parochia quae ad se pertinebat in Saxonia et in Cor-
nubia*", *and we know from other sources that he was
Bishop of Sherborne, which probably then included
Devonshire and Cornwall. His life of Alfred,* De
32

rebus gestis Ælfredi, *was probably written in* 893.
The following (chaps. 21-24) *is a famous passage
about Alfred's education.* *The best edition is by*
W. H. *Stevenson*, Asser's Life of King Alfred,
Oxford, 1904.

Aliquantulum, quantum meae cognitioni inno-
tuit, de infantilibus et puerilibus domini mei
venerabilis Ælfredi, Angulsaxonum regis, moribus hoc in loco breviter inserendum esse
existimo.
Nam, cum communi et ingenti patris sui et
matris amore supra omnes fratres suos, immo
ab omnibus, nimium diligeretur, et in regio
semper curto [1] inseparabiliter nutriretur, ac-
crescente infantili et puerili aetate, forma ceteris
suis fratribus decentior videbatur, vultuque et
verbis atque moribus gratiosior. Cui ab in-
cunabulis ante omnia et cum omnibus prae-
sentis vitae studiis, sapientiae desiderium cum
nobilitate generis, nobilis mentis ingenium
supplevit ; sed, proh dolor, indigna suorum
parentum et nutritorum incuria usque ad duo-
decimum aetatis annum, aut eo amplius, illiteratus permansit. Sed Saxonica poemata die noc-
tuque solers auditor, relatu aliorum saepissime

[1] Court. The word (a term more Frankish than
English) is more usually third declension, *curtis*, than
second declension, *curtum*.

D

audiens, docibilis memoriter retinebat.   In
omni venatoria arte industrius venator laborat
non in vanum ; nam incomparabilis omnibus
peritia et felicitate in illa arte, sicut et in ceteris
omnibus Dei donis fuit, sicut et nos saepissime
vidimus.

Cum ergo quodam die mater sua sibi et fratribus suis quendam Saxonicum poematicae artis
librum, quem in manu habebat, ostenderet, ait :
" Quisquis vestrum discere citius istum codi-
cem possit, dabo illi illum ".   Qua voce, immo
divina inspiratione instinctus, et pulchritudine
principalis litterae [1] illius libri illectus, ita matri
respondens, et fratres suos, quamvis non gratia,
seniores anticipans, inquit :   " Verene dabis
istum librum uni ex nobis, scilicet illi qui citis-
sime intelligere et recitare eum ante te possit ? "
Ad haec illa arridens et gaudens atque affir-
mans : " Dabo ", infit, " illi ".   Tunc ille statim
tollens librum de manu sua magistrum adiit, et
legit [2] : quo lecto, matri retulit et recitavit.

[1] The illuminated initial on the first page.
[2] An awkward change of subject.   The master read out
the book, and Alfred got its contents by heart as he
read, and then went to his mother and repeated them.

12 *The following charming poem has several times* 900 –
been published—best by L. Traube, in the Abhand-
lungen *of the Munich Academy, xix. p.* 301 : *it
is of the tenth century, probably by a native of Verona,
and contains a good deal of classical learning.*

O admirabile Veneris ydolum,
Cujus materiae nichil est frivolum ;
Archos [1] te protegat, qui stellas et polum
Fecit, et maria condidit et solum.
Furis ingenio non sentias dolum :
Cloto te diligat, quae bajulat colum.

Saluto puerum non per ypothesim,
Sed firmo pectore deprecor Lachesim,
Sororem Atropos, ne curet heresim.
Neptunum comitem habeas et Thetim
Cum vectus fueris per fluvium Athesim.[2]
Quo fugis amabo, cum te dilexerim ?
Miser quid faciam, cum te non viderim ?

Dura materies ex matris ossibus
Creavit homines jactis lapidibus : [3]
Ex quibus unus est iste puerulus,
Qui lacrimabiles non curat gemitus.
Cum tristis fuero, gaudebit emulus :
Ut cerva rugio, cum fugit hinnulus.

[1] The Almighty—a word adapted from late Greek.
[2] The river Adige or Etsch.
[3] A reference to the story of Pyrrha and Deucalion.

35

I 3 *Liutprand* (c. 920–972), *Bishop of Cremona, was a Lombard by birth, and a diplomatist as well as an ecclesiastic by profession. He is one of the most important authorities for the history of Rome in the tenth century, and he was sent more than once as ambassador of the Emperors Berengar II. and Otto I. to Constantinople ; he has left us a careful picture of his experiences there. He was well read in Latin literature, and had some knowledge of the Greek language, which he takes pains to display in his writings. The following extract (Antapodosis, ii. 47 sq.) describes the extraordinary period when Christian Rome was under the domination of women, Theodora and Marozia, who could vie with the most abandoned of the heathen Empresses.*

Quo tempore venerandae Romane sedis summum Johannes Ravennas pontificatum tenebat. Hic autem tam nefario scelere contra jus fasque pontificii culmen ita obtinuit.[1]

Theodora scortum impudens, . . . quod dictu etiam fedissimum est, Romane civitatis non inviriliter monarchiam obtinebat. (Quae duas habuit natas, Marotiam atque Theodoram, sibi non solum coequales, verum etiam Veneris exercitio promptiores. Harum Marotia ex papa Sergio,[2] cujus supra fecimus mentionem, Johan-

[1] 15th May 914.   [2] 904–911.

nem,[1] qui poſt Johannis [2] Ravennatis obitum Romanae aecclesiae obtinuit dignitatem, nefario genuit adulterio [3]; ex Alberico autem marchione Albericum, qui noſtro poſt tempore ejusdem Romane urbis principatum sibi usurpavit.[4]) Per idem tempus Ravennate sedis, secundus qui poſt Romanam archierean archipraesulatus habebatur, Petrus pontificatum regebat. Qui dum subiecﬁtionis offitio debitae jam nominatum Johannem papam, qui suae miniſter ecclesiae tunc temporis habebatur, Romam sepius et iterum domno dirigeret apoſtolico, Theodora, ut teſtatus sum, meretrix satis impudentissima, Veneris calore succensa, in hujus spetiei decorem vehementer exarsit, seque hunc scortari solum non voluit, verum poſt etiam atque etiam compulit. Hec dum impudenter aguntur, Bononiensis aeclesiae episcopus moritur, et Johannes

[1] John XI., elecﬁted March 931.
[2] John X. But not immediately after; Leo VI. reigned from July 928 to February 929, and Stephen VII. from February 929 to March 931.
[3] The truth of this accusation is by no means certain; some make John XI. the fruit of her lawful union with her husband Alberic.
[4] He conducﬁted a successful rebellion against Hugh of Provence, and ruled the city for twenty-two years, leaving his kingdom to his son Ocﬁtavian, who united the civil and ecclesiaſtical power under the title of John XII. in November 955; for a specimen of whose Latin see p. 44.

37

iste loco ejus eligitur. Paulo post ante hujus diem consecrationis nominatus Ravennas archipraesul mortem obiit, locumque ejus Johannes hic, Theodore instinctu, priori Bononiense deserta aeclesia, ambitionis spiritu inflatus, contra sanctorum instituta patrum sibi usurpavit. Romam quippe adveniens, mox Ravennatae ecclesiae ordinatur episcopus. Modica [1] vero temporis intercapedine, Deo vocante, et qui eum injuste ordinaverat papa [2] defunctus est. Theodorae autem glycerii [3] mens perversa, ne amasii sui ducentorum miliariorum interpositione, quibus Ravenna sequestratur Roma, rarissimo concubitu potiretur, Ravennate hunc archipraesulatum coegit deserere, Romanumque, pro nefas, summum pontificium usurpare. Hoc igitur sanctorum apostolorum taliter vicario constituto, Poeni,[4] ut praefatus sum, Beneventum Romanasque urbes misere laniabant.

---

[1] And yet from the chronicles it appears that he was archbishop of Ravenna 905–914. Would the passion of Theodora have brooked so long a delay? Or did he, for part of the time at least, reside at Rome?
[2] Laudo.
[3] I think Liutprand uses this word as simply = *scorti*, from the character Glycerium in Terence's *Andria*.
[4] The Saracens, who occupied a strong fortress on the Garigliano, thus securing their own southern conquests and enabling them to harass the territory of St. Peter and the dukedoms beyond their own borders.

14 *Liutprand's pictures of life in Constantinople are of the greatest value, as the records of Western travellers of this time are exceedingly rare. He hated the Emperor, Nicephorus Phocas, who put every slight on the envoy of Otto, with whom he was greatly annoyed for his occupation of the Roman provinces ; and the picture he draws of him* (Relatio de legatione Constantinopolitana, 3 *sqq.*) *is the reverse of flattering.*

Septimo autem Idus,[1] ipso videlicet sancto die Pentecostes, in domo quae dicitur Στεφάνα, id est Coronaria, ante Nicephorum sum deductus, hominem satis monstruosum, pygmaeum, capite pinguem atque oculorum parvitate talpinum, barba curta lata spissa et semicana foedatum, cervice digitali turpatum, prolixitate et densitate comarum hyopam,[2] colore Aethiopem, cui per mediam nolis occurrere noctem, ventre extensum, natibus siccum, coxis ad mensuram ipsam brevem longissimum, cruribus parvum, calcaneis pedibusque aequalem, villino [3] sed nimis veternoso vel diuturnitate ipsa foetido et

[1] 7th June 968.   [2] Pig-faced.
[3] I am doubtful of the rendering of this word. In Pertz's edition it is explained " byssino ", but the more natural meaning would be " of cloth ".

pallido ornamento indutum, Sicioniis calcea-
mentis calceatum, lingua procacem, ingenio
vulpem, perjurio seu mendacio Ulyxem. Semper mihi domini[1] mei imperatores augusti
formosi, quanto hinc formosiores visi estis ?
Semper ornati, quanto hinc potentiores ? Semper mites, quanto hinc mitiores ? Semper virtu-
tibus pleni, quanto hinc pleniores ? Sedebant
ad sinistram, non in eadem linea, sed longe de-
orsum, duo parvuli imperatores,[2] ejus quon-
dam domini, nunc subiecti. . . .

*A long discussion followed between the Emperor and
the envoy, in which Nicephorus used insulting language both of Liutprand and of his masters, while
Liutprand did his best to defend the actions of Otto
and what must be admitted to be his cruel treatment
of the rebellious city of Rome.*

" Secunda ", inquit Nicephorus, " hora jam
transiit ; προέλευσις (id est processio) nobis est
celebranda. Quod nunc instat agamus. Contra
haec, cum oportunum fuerit, respondebimus."
Non pigeat me προέλευσιν ipsam describere et
dominos meos audire. Negotiatorum multi-

[1] Otto and Adelheid.
[2] Basil and Constantine, sons of Romanus II. Nicephorus married their mother Theophano, and their
sister, also called Theophano, was finally married to
Otto II. This was indeed the object of Liutprand's
mission.

tudo copiosa ignobiliumque personarum ea sollempnitate collecta ad susceptionem et laudem Nicephori, a palatio usque ad sanctam Sophiam, quasi pro muris, viae margines tenuit, clypeolis tenuibus satis et spiculis vilibus dedecorata. Accessit et ad dedecoris hujus augmentum, quod vulgi ipsius potior pars ad laudem ipsius nudis processerat pedibus : credo sic eos putasse sanctam ipsam potius exornare προέλευσιν. Sed et optimates sui, qui cum ipso per plebeiam et discalceatam multitudinem ipsam transierant, magnis et nimia vetustate rimatis tunicis erant induti : satis decentius cotidiana veste induti procederent ; nullus est cujus atavus hanc novam haberet. Nemo ibi auro, nemo gemmis ornatus erat nisi ipse solus Nicephorus, quem imperialia ornamenta, ad majorum personas sumpta et composita, foediorem reddiderant. Per salutem vestram, quae mihi me[a] carior extat, una vestrorum pretiosa vestis procerum centum horum et eo amplius pretiosior est ! Ductus ego ad προέλευσιν ipsam, in eminentiori loco iuxta psaltas (id est cantores) sum constitutus.

Cumque quasi reptans monstrum illud procederet, clamabant adulatores psaltae : "Ecce venit stella matutina, surgit Eous, reverberat obtutu solis radios, pallida Saracenorum mors, Nicephorus μέδων (id est princeps) !" Unde et

cantabatur : " Μέδοντι (id est principi) πολλὰ
ἔτη (id est plures anni sint) ! Gentes hunc
adorate, hunc colite, huic tanto colla subdite ! "
Quanto tunc verius canerent : " Carbo ex-
stincte veni, μέλλε anus incessu, Sylvanus [1] vultu, rustice, lustrivage, capripes, cornute, bimembris, setiger, indocilis, agrestis, barbare, dure,
villose, rebellis, Cappadox ! " Igitur falsidicis
illis inflatus naeniis sanctam Sophiam ingreditur,
dominis suis imperatoribus se a longe sequenti-
bus et in pacis osculo ad terram usque adoran-
tibus.

I5 *Liutprand* (Liber de rebus gestis Ottonis
magni imperatoris, *ch.* 11) *gives the text of the
summons to John XII.* (*see p.* 37) *by the Council*
[A.D. 960] *called by the Emperor to put an end to
the scandals of his pontificate : and of the Pope's
not too grammatical reply.*[2]

Summo Pontifici, et universali Papae Domno
Johanni, Otto divinae respectu clementiae Im-

[1] A satyr : to which most of the following epithets
could be applied. *bimembris* means " with the limbs both
of man and beast ".
[2] See Dean Milman's *Latin Christianity*, vol. iii. p. 311, or
Gregorovius, *Rome in the Middle Ages* (tr. Hamilton),
vol. iii. p. 346.

perator Augustus, cum Archiepiscopis, Episcopis, Liguriae, Tusciae, Saxoniae, Franciae, in
Domino. Romam ob servitium Dei venientes,
dum filios vestros, Romanos scilicet Episcopos,
Cardinales, presbyteros et diacones, insuper et
universam plebem de vestra absentia percon-
taremur, et quid causae esset, quod nos aeclesiae
vestrae vestrique defensores videre noluissetis,
talia de vobis tamque obscena protulerunt, ut si
de histrionibus dicerentur, verecundiam nobis
ingererent. Quae ne magnitudinem vestram
omnia lateant, quaedam vobis sub brevitate de-
scribimus : quoniam et si cuncta nominatim exprimere cupimus, dies nobis non sufficit unus.
Noveritis itaque, non a paucis, sed ab omnibus
tam nostri quam alterius ordinis vos homicidii,
perjurii, sacrilegii, et ex propria cognatione
atque ex duabus sororibus incesti crimine esse
accusatos. Dicunt et aliud auditu ipso horri-
dum, diaboli vos in amorem vinum bibisse : in
ludo aleae Jovis, Veneris, ceterorumque de-
monum auxilium poposcisse. Oramus itaque
paternitatem vestram obnixe, ne Romam venire
atque ex his omnibus vos purgare dissimuletis.
Si forte vim temerariae multitudinis formidatis,
juramento vobis adfirmamus, nihil fieri praeter
sanctorum canonum sanctionem. Data VIII.
idus Novembris.

43

Hanc epistolam cum legisset, hujusmodi apologeticum scripsit:—Johannes Episcopus, servus servorum Dei, omnibus Episcopis. Nos audivimus, quia vos vultis alium Papam facere: si hoc facitis, excommunico vos de Deum omnipotentem, ut non habeatis licentiam nullum ordinare, et Missam celebrare.

16 *A medieval poem that has become very famous in modern days is the* De contemptu mundi *of Bernard, variously called " of Morlaix" and "of Cluny". The author was certainly a monk at Cluny when Peter the Venerable was Abbot (1122–1155), but his origin is most uncertain: the epithet by which he is ordinarily called is found spelt Morlanensis, Morvallensis, and Morlacensis. These would attribute to him respectively, as places of origin, Morlaas near Pau, Morval in the Jura, not far from Cluny itself, and Morlaix in Brittany: it has also been suggested that one of the forms may mean " of Murles", not far from Montpellier. The question is not yet settled, and the author has been confused at different times with other Bernards of Cluny, and even with the great St. Bernard of Clairvaux himself. His poem became known to the modern religious world by the translation of part of it—a cento—by*

44

the late Dr. J. M. Neale ; and several portions of Dr. Neale's translation have entered the hymn-books of most religious bodies. The most famous section is that which now forms the well-known hymn "Jerusalem the golden", though others too, such as "Brief life is here our portion" and "The world is very evil", are also familiar.

The poem is divided into three books, and is of great length : it is also remarkable for the extreme diffi-culty [1] of the metre in which it is written, containing an elaborate internal rhyme within each line, as well as another at the end of each pair of hexameters. The most accessible edition is to be found in Thomas Wright's The Anglo-Latin Satirical Poets of the Twelfth Century, vol. ii. (Rolls Series—London, 1872) ; and a bibliography and translation have lately been published in a work named The Source of " Jerusalem the Golden ", by Samuel Macauley Jackson and H. Preble, University of Chicago Press, 1910. The following passage is taken from a part of the poem which Dr. Neale did not translate, and is remarkable for its classical learning : its theme is " Where are the snows of yester-year ? "—a recapitulation of the great ones of the earth that have now perished. The passage may be found on p. 36 of Wright's edition, ll. 859 follow-ing of the first of the three books.

[1] So difficult, that Bernard claims that he could never have written a poem of this length in it unless he were divinely inspired !

45

Mors via maxima, mors patet ultima linea [1]
    rerum ;
Quo pede testea [2] calcat et aurea, nil sibi serum [3] :
Imminet omnibus—hinc famulantibus, inde
    tyrannis ;
Irruit ocius, unica totius est via carnis. [4]
Socrate doctior, Hercule fortior a triduana
Febre resolvitur ; indeque noscitur omnia
    vana,
Vanaque vivere vanaque currere sole sub isto ;
Omnia perspice denique codice [5] scito magi-
    stro . . .
Quid tibi roboris ? illius Hectoris, illius ossa,
Quae minus eminet, [6] unica continet arctaque
    fossa.
Quid tibi grammatis ? Arida Socratis ossa
    tenentur ;
Vox animae Plato, justitiae Cato pulvis haben-
    tur.

[1] Horace, *Epistles*, i. 16. 79.
[2] *i.e.* the cheap and expensive, poor and rich alike.
[3] A difficult expression. Presumably " nothing is too
late for death "—*i.e.* death outlasts all.
[4] The letter *r* is habitually neglected in the rhyme :
cf. isto and *magistro* three lines below. Is this the first
appearance of the expression " the way of all flesh " ?
[5] The sacred text—the " vanity of vanities : all is
vanity " of the preacher.
[6] " Within the churchyard, side by side,
    Lie many long *low* graves."

46

Quid tibi faminis ? illa Demosthenis [1] et Cice-
    ronis
Lingua peraruit ; aura superfluit artis et oris.
Quid tibi sanguinis est vel originis ? et Fa-
    biorum
Stirps ruit ardua, turbaque mortua fluxit eorum.
Te decor extulit, Absolon ; abstulit ultio
    duplex [2] ;
Faex caro lactea redditur, aurea caesaries faex . . .
Est ubi gloria nunc Babylonia ? nunc ubi dirus
Nabugodonosor ? et Darii [3] vigor ? illeque
    Cyrus ? . . .
Nunc ubi curia pompaque Julia ? Caesar,
    obisti ;
Te truculentior, orbe potentior ipse fuisti . . .
Cum genero sene brachia non bene conseruisti ;
Non socer illius aut socius pius esse tulisti :
Qui cinis es modo, tantus eras homo quantus et
    orbis,
Et [4] tibi subditus extitit ambitus urbis et
    orbis. . . .
Nunc ubi Marius [5] atque Fabricius [5] inscius
    auri ?

[1] Dēmosthenes in classical Latin.
[2] *i.e.* because he was both hung and transfixed by a dart.
[3] Dārīus in classical Latin.
[4] MSS. *an* : if this is kept a question-mark must be put
at the end of the line.
[5] Mărius and Fabrĭcius in classical Latin.

Mors ubi nobilis et memorabilis actio Pauli [1]?
Diva Philippica vox ubi caelica nunc Ciceronis?
Pax ubi civibus atque rebellibus ira Catonis?
Nunc ubi Regulus? aut ubi Romulus? aut ubi
     Remus [2]?
Stat rosa pristina nomine, nomina nuda tenemus.

17 *The following* Prosa de duodecim lapidibus
pretiosis in fundamento caelestis civitatis posi-
tis, *a symbolical and metaphorical explanation of*
Revelation *xxi.* 20, 20, *is a fair specimen of
twelfth-century poetry. It is undoubtedly of French
origin, but its author is not known ; it has been attributed without due reason both to St. Anselm and
to Marbodius of Angers* (1035–1123), *Bishop of
Rennes. The manuscript authorities are given in
Hauréau,* Notices et extraits de quelques manuscrits latins de la Bibliothèque Nationale, *i.*
(Paris, 1890), *p.* 76.

Cives caelestis patriae,   Civitatis uranicae,[3]
Regi regum concinnite   In cujus aedificio
Qui supremus est artifex   Talis extat fundatio.

[1] Aemilius Paulus, not the Apostle.
[2] Rĕmus in classical Latin.
[3] The scheme of rhymes is elsewhere strictly preserved,

aspis, coloris viridis,[1]
raefert virorem fidei
Quae in perfectioribus
Nunquam marcescit penitus;
Cujus forti praesidio
Resistitur diabolo.

aphirus habet speciem
Caelesti throno similem ;
Designat cor simplicium
pe certa praestolantium,
Quorum vita et moribus
Delectatur Altissimus.

Calcedonius pallentem
gnis habet effigiem ;
ubrutilat in publico,
ulgorem dat in nubilo ;
irtutem fert fidelium
Occulte famulantium.

maragdus, virens nimium,
at lumen oleaginum ;
st fides integerrima,

Ad omne bonum patula,
Quae nunquam scit deficere
A pietatis opere.

Sardonix, constans tricolor,
Homo fertur interior
Quem denigrat humilitas,
Per quem albescit castitas ;
Ad honestatis cumulum
Rubet quoque martyrium.

Sardius est puniceus,
Cujus color sanguineus
Decus ostentat martyrum
Rite agonisantium.
Sextus est in catalogo ;
Crucis haeret mysterio.

Auricolor chrysolitus
Scintillat velut clibanus.
Praetendit mores hominum
Perfecte sapientium,
Qui septiformis gratiae
Sacro splendescunt jubare.

---

and I think the poet may possibly have written *uranicae
civitatis*, which would not be unmetrical in the French
pronunciation of Latin (see p. 126). *artifex* would be
pronounced *artifes*, and something approaching a rhyme
would thus be achieved.

[1] Perhaps originally *colore viridi*, which will give the
required rhyme.

Berillus est lymphaticus,
Ut sol in aqua limpidus :
Figurat vota mentium
Ingenio sagacium,
Queis magis libet mysticum
Summae quietis otium.

Topazius quo rarior
Ob id est pretiosior ;
Nitore rubet chryseo
Et aspectu aetherio.
Contemplativae solitum
Vitae monstrat officium.

Chrysoprasus purpureum
Imitatur conchylium ;
Est intertinctus aureis
Quodam miscello guttulis.
Haec est perfecta caritas
Quam nulla sternit feritas.

Jacinthus est caeruleus,
Virore medioximus,
Cujus decora facies
Mutatur ut temperies.
Vitam signat angelicam
Discretione praeditam.

Amethystus praecipuus,
Colore violaceus,
Flammas emittit aureas
Scintillasque purpureas.
Praetendit cor humilium,
Christo commorientium.

Hi pretiosi lapides
Carnales signant homines ;
Colorum est varietas
Virtutum multiplicitas.
His quicumque floruerit
Concivis esse poterit.

Jerusalem pacifera,
Haec tibi sunt fundamenta.
Felix et Deo proxima,
Quae te meretur anima,
Custos tuarum turrium,
Non dormit in perpetuum.

Concede nobis, agie
Rex civitatis caelicae,
Post cursum vitae labilis,
Consortium in superis.
Inter sanctorum agmina
Cantemus tibi cantica !

Amen !

18 *Walter Mapes, or Map, Archdeacon of Oxford, wrote a very remarkable book,* De Nugis Curialium, *worthily re-edited by Dr. M. R. James, Oxford, 1914. It has also now been translated into English by Professors Tupper and Ogle, of Vermont. In it he tells many stories, supernatural and historical, of Wales and the Welsh border. He hated St. Bernard and the Cistercians, and thought well of Arnold of Brescia. The book was written about* 1195–1200. *Dist. 1. cap. xxiv.*

Aderam in mensa beato Thome tunc archiepiscopo Cantuarie ; assidebant ipsi abbates albi [1] duo, multa referentes viri praedicti (Barnardi scilicet) miracula, sumentes exordium inde quod ibi legebatur epistola Barnardi de condemnatione magistri Petri,[2] principis Nominalium, qui plus peccavit in dialetica quam in divina pagina ; nam in hac cum corde suo disseruit, in illa contra cor laboravit, et multos in eosdem labores induxit. Legebatur epistola dompni Barnardi Clarevalensis abbatis ad Eugenium papam, qui suus fuerat monachus, quem illius ordinis nemo secutus est ad sedem illam. In epistola continebatur illa, quod [3] magister

[1] Cistercians.   [2] Abelard.
[3] The actual words of the letter were (*Bern.* Ep. clxxxix) : " Procedit Golias procero corpore nobili illo suo bellico apparatu circummunitus, antecedente quoque ejus armi-

Petrus instar Golie superbus esset, Ernaldus de
Brixa signifer ejus, et in hunc modum pessimum
plurima. Hinc occasione sumpta laudabant abbates illum Barnardum, et extollebant ad astra.
Johannes ergo Planeta de magistro bono quod
nolebat et dolebat audiens, "Unum", inquit,
"in monte Pessulano vidi quod multi miraban-
tur miraculum"; et rogatus ut diceret, ait,
"Illi quem merito predicatis magnifico viro demoniacus quidam ligatus in monte Pessulano
presentatus est ut sanaret eum; ipse super
asinam magnam sedens imperavit immundo
spiritui, populo qui supervenerat tenente silen-
cium, et ait tandem ' Solvite vinclum, et sinite
liberum'. Demoniacus autem, cum se dimis-
sum sensit, lapides in ipsum abbatem quocunque potuit misit, instanter fugientem persequens
per vicos donec licuit, etiam et a populo captus
in ipsum semper oculos habebat, quia manus
tenebantur." Displicuit autem hoc verbum
archipresuli, et ait Johanni quasi comminans
"Heccine sunt miracula tua?" Tum Johannes,
"Certe miraculum dignum memoria dicebant
hoc qui tunc affuerunt, quod omnibus mitis et
benivolus fuit arrepticius, et ypocrite soli moles-

---

gero Arnaldo de Brixia". Golias (see p. 55) is the
rascally clerk, a braggart, and fonder of women and
wine than his profession should warrant, with whom
however we are allowed to feel a little sympathy.

tus, et adhuc id mihi presumpcionis castigacio fuit ". . . . Publicatum est autem quod eidem predicto Barnardo, post hunc gracie defectum, contigerit secundus, et famam ejus non secundans. Gualterus comes Nemuriensis in Chartusia decessit, ibique sepultus est. Convolavit igitur dompnus Barnardus ad sepulcrum illud, et cum diutissime prostratus orasset, oravit eum prior ut pranderet, erat enim hora. Cui Barnardus, " Non recedam hinc, donec mihi loquatur frater Galterus " : et exclamavit voce magna, dicens, " Galtere, veni foras ". Galterus autem, quia non audivit vocem Ihesu, non habuit aures Lazari, et non venit.

Quia superius Ernaldus de Brixa se nostris intulit sermonibus, dicatur si placet quis fuerit, sicut audivimus a viro temporis illius, viro quidem magnifico multarumque literarum, Roberto de Burneham. Hic Ernaldus ab Eugenio papa post Abaielardum incitatus, indefensus, et absens condempnatus est, non ex scripto sed ex predicacione. Secundum sanguinis altitudinem erat Ernaldus nobilis et magnus, secundum literas maximus, secundum religionem primus, nichil sibi victus aut vestis indulgens nisi quod artissima cogebat necessitas. Circuibat predicans, non que sua sed que Dei sunt querens, et factus est omnibus amabilis et admirabilis. Hic cum Romam venisset, venerati sunt Romani doctrinam ejus. Pervenit tandem ad curiam, et vidit mensas cardinalium vasis aureis et argenteis honustas et delicias in epulis : coram domino papa reprehendit eos modeste, sed moleste tulerunt, et ejecerunt eum foras ; qui rediens ad urbem, indefesse docere cepit. Conveniebant ad eum cives, et libenter eum audiebant. Factum est autem ut audirent eum de contemptu premiorum et mammone sermonem fecisse cardinalium in aures presente domino papa predictum Ernaldum, et ipsum a cardinalibus ejectum. Congregati sunt ad curiam, et jurgati contra dominum papam et cardinales, dicentes Ernaldum virum bonum et justum, et ipsos avaros, injustos, et malos, et qui non essent lux mundi sed fex, et in hunc modum, et vix continuerunt manus. Quo tumultu vix pacificato, missis ad imperatorem [1] legatis, dominus papa denunciavit Ernaldum excommunicatum et hereticum, et non recesserunt nuncii donec ipsum suspendi fecerunt.

[1] One of the few occasions in the Middle Ages when the Pope and the Emperor acted together was their alliance to put an end to Arnold of Brescia. His name is still well known in Italy, and it is not very long since an election was won on the cry, " Viva Arnoldo da Brescia ed il Papa non Rè ".

19 *The poems attributed to* Walter *Mapes, or* Map, *cannot with any certainty be ascribed to the genial Archdeacon of Oxford. They seem to form part of a " Corpus " of Goliardic poetry, which is found widely distributed throughout England and Europe, and are no doubt of the early thirteenth century.* They are to be found in Thomas Wright's Latin Poems attributed to Walter Mapes, *and* Political Songs of England, *Camden Society,* 1841 *and* 1839, *and scattered about in such periodicals as the* Zeitschrift für Deutsches Alterthum. *It is high time that they were re-edited. Considerable classical knowledge is shown in them. For instance, in the* Apocalypsis Goliae *the narrator sees* Pythagoras *in a vision, who wraps him away to some distant or heavenly land. There* (Apoc. Goliae, l. 33)—

Dum miror, dubius quae sint haec agmina,
Per frontes singulas traducens lumina,
Vidi quorumlibet inscripta nomina
Tanquam in silice vel plumbi lamina.

Hic Priscianus est dans palmis verbera,
Est Aristoteles verberans aera,
Verborum Tullius demulcet aspera,
Fert Ptolemaeus se totum in sidera.

Tractat Boetius numerabilia,
Metitur Euclides locorum spacia,

Frequens Pythagoras [1] circa fabrilia
Trahit a malleis vocum primordia.

Lucanum video ducem bellantium,
Formantem aereas muscas Virgilium,[2]
Pascentem fabulis turbas Ovidium,
Nudantem satyros dicaces Persium.

Incomparabilis est status Statio,
Cujus delinuit res comparatio,
Saltat Terentius, plebeius histrio,
Agrestes Hippocras [3] potat absinthio.

There is also another passage (Metamorphosis
Goliae, 161) *in which heathen deities, pagan philosophers and poets, and medieval philosophers are
all mentioned in some confusion.*

Nexibus Cupidinis Psyche detinetur ;
  Mars Nerinae [4] conjugis ignibus torretur ;
  Janus ab Argyone [5] disjungi veretur ;
  Sol a prole Pronoes diligi meretur. . . .

---

[1] The pagan equivalent of the Biblical Jubal, " the
father of all such as handle the harp or organ ", who was
supposed to have invented music from hearing the
sounds of a smithy, perhaps that of his half-brother
Tubal-Cain.
[2] Virgil in the Middle Ages was more magician than
poet. See Comparetti.   [3] Hippocrates.
[4] Aulus Gellius, xiii. 22.   [5] Martianus Capella, i. 4.

Aderant Philosophi, Thales udus stabat :
    Crisippus,[1] cum numeris Zeno ponderabat ;
    Ardebat Eraclius,[2] Perdix [3] circinabat ;
    Totus ille Samius [4] proportionabat.

Implicabat Cicero, explicabat Plato ;
    Hinc dissuadet Appius,[5] hinc persuadet Cato [6] ;
    Vacuum Archesilas [7] tenuit pro rato,
    Esse quod inceperat undique locato.

Secum suam duxerat Cetam Ysopullus,[8]
    Cynthiam Propertius, Deliam Tibullus,
    Tullius Terentiam, Lesbiam Catullus ;
    Vates huc convenerat sine sua nullus.

Quaeque suo suus est ardor et favilla ;
    Plinium Calpurniae [9] succendit scintilla,
    Urit Apuleium sua Pudentilla :
    Hunc et hunc amplexibus tenet haec et illa. . . .

---

[1] Wright read *Crispinus*, the stoic of Horace's *Satires*,
i. 3, etc.   [2] Heraclitus.
[3] The inventor of the compass.   Servius in Virg. *Georg.*
i. 143.   [4] Pythagoras.
[5] Appius Claudius Caecus (?), who dissuaded the Romans
from making peace with Pyrrhus.
[6] Cato Grammaticus, whose pseudepigraphic *Moralia*
were most popular in the Middle Ages.
[7] The founder of the Middle Academy.   [8] Aesop.
[9] The second wife of the younger Pliny.

Ibi doctor cernitur ille Carnotensis,[1]
　　Cujus lingua vehemens truncat velut ensis ;
　　Et hic praesul praesulum stat Pictaviensis [2]
　　Prius et nubentium miles et castrensis. . . .

Celebrem theologum vidimus Lumbardum,
　　Cum Yvone Helyam Petrum [3] et Bernardum,[4]
　　Quorum opobalsamum spirat os et nardum,
　　Et professi plurimi sunt Abaielardum.

*The venal state of the city and court of Rome is one
of the most constant complaints of this class of poets*
(Golias in Romanam Curiam, 33).

Nummis in hac curia non est qui non vacet ;
　　Crux [5] placet, rotunditas, et albedo placet,
　　Et cum totum placeat, et Romanis placet,
　　Ubi nummus loquitur, et lex omnis tacet. . . .

Cum ad papam veneris, habe pro constanti
　　Non est locus pauperi, soli favet danti ;
　　Vel si manus praestitum non est aliquanti,
　　Respondet " Haec tibia non est mihi tanti ".

Papa, si rem tangimus, nomen habet a re,
　　Quicquid habent alii, solus vult papare ;

---

[1] Ivo of Chartres.
[2] Peter of Poitiers, disciple of Peter Lombard.
[3] Peter Elias, eleventh-century grammarian.
[4] Of Clairvaux.
[5] On the " tail " of the coin, like our florins.

Vel, si verbum Gallicum vis apocopare,
"*Payez, payez,*" *dit le mot,* si vis impetrare.

Papa quaerit, chartula [1] quaerit, bulla quaerit,
  Porta quaerit, cardinalis quaerit, cursor
    quaerit,
  Omnes quaerunt : et si quod des uni deerit,
  Totum mare salsum est, tota causa perit.

Das istis, das aliis, addis dona datis,
  Et cum satis dederis, quaerunt ultra satis.
  O vos bursae turgidae, Romam veniatis :
  Romae viget physica bursis constipatis.

*The extracts from the Goliardic poems may be closed
with the amusing epigram,* Golias de equo pontificis.

Pontificalis equus est quodam lumine caecus,
Segnis et antiquus, morsor, percussor iniquus ;
Nequam propter equam, nullamque viam tenet
    aequam,
Cespitat in plano, nec surgit poplite sano.
Si non percuteret de vertice saepe capistrum,
Et si portaret passu meliore magistrum,
Nil in eo possemus equo reperire sinistrum.

[1] *Chartula, bulla,* the clerks in the various chanceries.
Porta, cursor, the underlings of the Papal Court.

20 *A thirteenth-century manuscript in the Biblio-théque Nationale—MS. Latin No. 13,586—contains a collection of sermons entitled* Sermones magistri Gaufridi Trecensis. *Nothing is known of this Geoffrey of Troyes, though from the number of copies of some of the sermons found in other manuscripts he must have been a popular preacher of the twelfth century. The following is the first part of one of them, which elaborates in an interesting way the story of the deaf adder that stoppeth her ears. Text in Hauréau,* Notices et extraits de quelques manuscrits latins de la Bibliothèque Nationale (*Paris*, 1891), *vol. ii. p.* 301.

Serpentem esse aiunt, non curo utrum aspis an alio nomine vocetur, cujus in capite coalescit lapis pretiosus carbunculus, quem ex hoc dracontidem appellant. Hic in cavernis et abditis cuniculis [1] delitescit, ne gemma qua fronte insignitur spoliari possit. Naturaliter vero mulcedine cantus trahitur, ut a specu suo, velit nolit, extrahatur. Porro indigenae, cum lustra bestiae deprehendunt, cum tympanis et cytharis et diverso genere musicorum eo conveniunt, ex latibulo suo eam abducturi. Quae, dulcem melodiam musicorum audiens, ad os speluncae illico progreditur. Illi vero pedetentim recedentes,

[1] Rabbit-holes.

ex industria et se et sonum elongant ut levius
audiatur, serpens nihilominus sequatur abeun-
tes ; cumque longius a cuniculo suo ductus ad
publicum, parati sunt a tergo eum occupantes
et cum reti hujusmodi venationi congruo eum
operiunt, lapidem tollunt, et vivam abire be-
stiam permittunt ut iterum renascatur gemma
quam tollere debeant. Quae cum processu
temporis coaluerit redintegrata, eam incolae
comperiunt, nam ex nocturno fulgore quem
emittit in modum faculae potest deprehendi.
Rursus insidias concinnant veteres, et econtra
draco novas invenit fraudes ; verens enim pre-
tium perdere, et sonum audire quem non potest
non sequi cum audierit, declinatur in latus et,
alteram aurium terrae conjungens, alteram
cauda obturat, ne fallacia qua prius melodiae
etiam nolens abducatur. Rei veritatem non
procaciter defendo ; sed, sive in his quae de
cervo seu de serpente audierim et scripserim
non tam verum ita sit, quae quomodo nobis
conveniant inquiro. Dicit ipse Dominus :
Estote prudentes sicut serpentes. . . .

2 I *The parish of Sonning was a peculiar of Salisbury
Cathedral :* i.e. *it was not visited by the archbishop,*

*bishop, or archdeacon, but by the Dean of Salisbury.
The following*[1] *is the account of the visitation in* 1222.[2]

W.[3] decanus invenit plures sacerdotes ministrantes in parochia sua de Sunning, quorum nullus fuit vel sibi vel alicui de suis presentatus. Requisitum fuit ab illis per quos et sub quibus ministrabant, quod non poterant ad decanum accedere, quia longe ab eis agebant, et petierunt quod modo possint ipsi suos capellanos presentare, et capellani obedientiam et fidelitatem jurare. Decanus annuit, dummodo hoc fieret sub probatione et ordinis et literature.

Vitalis, presbiter, vicarius perpetuus de Sunning, presentavit capellanum quem secum habet, nomine Simonem, quem modo retinuit usque ad festum S. Michaelis. Requisitus idem Simon de suis ordinibus, dicit quod apud Oxoniam recepit ordinem subdiaconi a quodam episcopo Ybernie, Albino nomine, tunc vicario episcopi Lincolniensis. Item ab eo recepit ordinem diaconi. Item ordinem presbiteratus ab Hugone modo Lincolniensi episcopo, transactis quatuor

[1] *Register of St. Osmund* (Rolls Series), i. p. 304 ; W. H. Frere, *Visitation Articles and Injunctions* (Alcuin Club Collections, xiv.), i. p. 108.
[2] Feria sexta proxima ante festum beati Martini = Friday, 4th November.
[3] William of Wanda, Dean of Salisbury 1220–1236.

annis. Probatus fuit de evangelio dominice prime in Adventu, et inventus eſt minus habens, nec intelligens quod legeret. Item probatus fuit de canone missae, *Te igitur, clementissime Pater*,[1] etc. Nescivit cujus casus esset *Te*, nec a qua parte regeretur. Et cum dictum esset ei, ut diligenter inspiceret que pars posset competentius regere *Te*, dixit quod *Pater*, quia omnia regit. Requisitus quid esset *clementissime*, vel cujus casus, vel qualiter declinaretur, nescivit. Requisitus quid esset *clemens*, nescivit. Item, idem Simon nullam differentiam antiphonarum novit, nec cantum ympnorum nec eciam de illo *Nocte surgentes* [2]: nec aliquid scivit de officio divino [3] vel psalterio cordetenus, memoriter scilicet. Dixit eciam quod indecens ei videbatur quod probaretur coram decano, cum jam esset ordinatus. Requisitus super quo fuisset quando ordinem presbiteratus accepit, dicit quod non meminit. Sufficienter illiteratus eſt.

Of the other six chaplains one was approved ; one refused to reply, and was suspended; and the other four were found unable to answer queſtions or sing.

[1] The opening words of the Canon of the Mass: " Therefore, O moſt merciful Father, we moſt humbly pray and beseech thee . . ."
[2] The office hymn for Mattins in the Breviary.
[3] The Breviary.

Preceptum est Vitali ut bonos capellanos inveniat et ibi et apud Sunning, vel decanus capiet beneficia in manus suas.

***

22 *The* Carmina Burana *form a collection of students' songs (*carmina clericorum*) and other pieces, mostly of the twelfth and thirteenth centuries : the best edition is that of J. A. Schmeller, Breslau, 1883. Some are pretty love-poems :*

> Juvenes amoriferi,
> Virgines amplexamini !
> Ludos incitat
> Avium concentus.
> O vireat, O floreat, O gaudeat
> In tempore juventus !

Some celebrate the praises of wine and of the table :

> Alte clamat Epicurus :
> Venter satur est securus.
> Venter deus meus erit,
> Talem deum gula quærit,
> Cujus templum est coquina,
> In qua redolent divina.

A few have a distinctly satirical purpose, being directed against the abuses of the Court of Rome. Of such a kind is the following parody of the liturgical

64

gospel, which is a most ingenious cento of biblical
passages. On this and similar jeux d'esprit see
Paul Lehmann's most entertaining book, Die
Parodie im Mittelalter, *Munich,* 1922.

XXI.—Evangelium

Initium sancti evangelii secundum Marcas ar-
genti. In illo tempore : dixit Papa Romanis :
Cum venerit filius hominis ad sedem majestatis
nostrę, primum dicite : Amice, ad quid venisti ?
At ille si perseveraverit pulsans nil dans vobis,
ejicite eum in tenebras exteriores. Factum
est autem, ut quidam pauper clericus veniret
ad curiam domini Papę, et clamavit dicens :
Miseremini mei saltem vos, hostiarii Papę, quia
manus paupertatis tetigit me. Ego vero egenus
et pauper sum ; ideo peto, ut subveniatis cala-
mitati et miserię meę. Illi autem audientes in-
dignati sunt valde et dixerunt : Amice, pauper-
tas tua tecum sit in perditione; vade retro Sa-
thanas, quia non sapis ea quę sapiunt nummi.
Amen amen dico tibi : non intrabis in gaudium
domini tui, donec dederis novissimum qua-
drantem.
Pauper vero abiit et vendidit pallium et tunicam et universa quę habuit, et dedit cardinalibus
et hostiariis et camerariis. At illi dixerunt :
Et hoc quid est inter tantos ? Et ejecerunt eum

ante fores, et egressus foras flevit amare et non
habens consolationem. Postea venit ad curiam
quidam clericus dives incrassatus, inpinguatus,
dilatatus, qui propter seditionem fecerat homi-
cidium. Hic primo dedit hostiario, secundo
camerario, tertio cardinalibus. At illi arbitrati
sunt inter eos, quod essent plus accepturi.
Audiens autem dominus Papa cardinales et
ministros plurima dona a clerico accepisse, in-
firmatus est usque ad mortem. Dives vero misit
sibi electuarium aureum et argenteum, et statim
sanatus est. Tunc dominus Papa ad se vocavit
cardinales et ministros et dixit eis : Fratres,
videte ne aliquis vos seducat inanibus verbis.
Exemplum enim do vobis, ut quemadmodum
ego capio, ita et vos capiatis.

23 *An early example of the story of the man who
sold his soul to the devil—afterwards so well known
to us in the legend of Dr. Faustus—is found in an
anonymous collection of anecdotes, intended for incor-
poration in sermons, in a thirteenth-century manuscript at Paris—Hauréau,* Notices et extraits,
etc. (*Paris,* 1891), *vol. ii. p.* 326.

Nota quod quidam erat qui non credebat habere
animam et animo peccabat, et qui saepius dice-
66

bat rationem illis cum quibus famulabatur ; et
dum quadam die diceret cum quodam fideli et
sapiente, corripiebat illum ne amplius talia
diceret quae non erant verba Chriſtiani boni,
sed male credentis ; ille e contrario magis
affirmabat nihil esse animam poſt mortem : et
sapiens dicebat animam suam plus valere quam
totum mundum, pro qua Dominus Jesus mortuus fuerat. Et ille : " Si tantum valet, com-
para eam ; faciam tibi ex ea bonum forum [1] ".
Cui ille : " Pro quotis dabis mihi ? "—" Pro
quinque solidis et decem denariis ad bibendum."
—" Et ego libenter tibi dabo tantum." Et dum
biberent vinum de foro, miser convocabat
omnes transeuntes ut venirent bibere de mira-
bili et ſtulto foro. Inter multos affuit unus, qui
habebat comam crispatam et capellum de rosis
in capite et optime et pulcre erat indutus, qui
dicit bibentibus : " De quo foro eſt vinum quod
bibitis tam laete ? " Cui ille qui emerat animam : " De anima iſtius, quam emi quinque
solidis et duodecim denariis ad bibendum."
Cui ille : " Vis mihi vendere ? " Cui ille :
" Libenter."—" Dabo tibi quadruplum." Et,
foro faſto et hauſto vino, petiit animam illius ;
et cum ille nollet aliquid facere quia nihil erat,
indicatum fuit ei quod esset servus ejus et, cum
ille duceret illum quem emerat secum extra vil-

[1] A bargain.

67

lam, videntibus multis qui hoc viderunt, intravit in quamdam foveam, et tam cito terra cooperti de cetero non apparuerunt. Unde multi dixerunt quod emptor fuit diabolus, qui se multotiens transfigurat, ut possit homines decipere et defraudare.

24 *It is sometimes hard to distinguish between the monuments of declining antiquity and those of the early Renaissance. Scholars are not yet agreed whether the following pretty little poem is of late imperial days or a medieval Italian production : it is in its rhythm not unlike* No. 12, O admirabile Veneris ydolum. *The text here printed is, with one or two variations, that reached by V. Ussani,* Studî Italiani di filologia classica, x. p. 168 : *the usual references are Burmann's* Anth. Lat. iii. 219, *Wernsdorf,* P.L.M. ii. pp. 390 *and* 453 *(who attributed it to Valerius Cato !),* Meyer's *edition of the* Anth. Lat. 989, *and Riese's, p. xli.*

GALLUS POETA CLARISSIMUS [1]

Lydia, bella puella candida,
Quae bene superas lac et lilium

[1] *al.* In Jocis Galli poetae.
68

Album, quae [1] simul rosam rubidam
Aut expolitum ebur Indicum,
Pande, puella, pande capillulos
Flavos, lucentes ut aurum nitidum ;
Pande, puella, collum candidum
Productum bene candidis humeris ;
Pande, puella, stellatos oculos
Flexaque super nigra cilia ;
Pande, puella, genas roseas
Perfusas rubro purpuriae Tyriae ;
Porrige labia, labra corallina [2] ;
Da columbarum [3] mitia basia :
Sugis amantis partem animi ;
Cor mi penetrant haec tua basia :
Quid mi sugis vivum sanguinem ?
Conde papillas, conde semipomas,[4]
Compresso lacte quae modo pullulant—
Sinus expansus profert cinnama,
Undique surgunt ex te deliciae—
Conde papillas, quae me saucias [5]
Candore et luxu nivei pectoris.
Saeva,[6] non cernis quod ego langueo [7] ?
Sic me destituis jam semimortuum ?

[1] *al*. Albamque.   [2] *al*. corallia.
[3] *al*. columbatim—the adverb *columbulatim* occurs in classical Latin.
[4] *al*. gemipomas.   [5] *al*. sauciant.   [6] *al*. scaeva.
[7] *Cf*. the well-known refrain of medieval love-songs, *quia amore langueo*.   (See p. 108.)

25 *It is in England alone that Rolls of Fair Courts or " Courts of Pie Powder" are to be found, of which the following extracts from the St. Ives Fair Courts Rolls are taken: all records of such jurisdiction on the Continent seem to have disappeared, if indeed they ever existed. But in England we have much valuable evidence, such as that furnished by the St. Ives Rolls* [1] *from* 1270 *to* 1324; *this fair was held in accordance with a charter granted to the Abbot of Ramsey by Henry I. in* 1110, *and confirmed and enlarged by subsequent sovereigns.*

The term " Pie Powder" may either refer to the rapidity with which justice was administered (i.e. before the dust could be removed from the litigants' feet), or to the fact that it was primarily used by wandering pedlars; we have a twelfth-century Scottish reference to the " Extraneus mercator vel aliquis transiens per regnum non habens certam mansionem infra vicecomitatum, sed vagans, qui vocatur Piepowdrous, hoc est anglice dustifute".

CURIA DIE SABBATI (24th April 1288)

Johannes filius Johannis de Eltysle queritur de Rogero le Barber quod injuste fregit ei conven-

---

[1] Extracts from these have been printed in Dr. Gross's Selden Society volume, *Select Cases concerning the Law Merchant.*

70

cionem, et ideo injuste quod cum idem Johannes fuerat in villa de Rames' die Lunae prox' post Epiphaniam Domini ultimam praeteritam [1] fuit unus annus elapsus in domo Thomae Bull, ibi venit dictus Rogerus et manucepit sanare capud ipsius Johannis de glabra [2] pro novem denariis, quos idem Johannes solvit praemanibus.[3] Adveniente die Martis prefatus Rogerus posuit ei emplastrum et die Mercurii similiter et postea recessit de villa, et quod ab illo die usque nunc nichil se voluit intromittere ad dampnum ipsius Johannis dimidia merce. Et ducit sectam.[4] Predictus Rogerus presens defendit etc. et posuit se ad legem et inveniendo plegios legis recessit de barra sine licencia. Ideo predictus Johannes peciit judicium de ipso tamquam de convicto. Quare consideratum est quod dictus Rogerus satisfaciat dicto Johanni de ix d. de principali et de dampnis suis quae condonantur et pro transgressione in misericordia [5] vj d.

Curia die Lune prox' post Inventionem Sancte Crucis (7th May 1291)

Margareta uxor Radulfi Bercarii queritur de Rogero de Ponte Frigido [6] et de Beatrice uxore

[1] 13th January 1287.   [2] Baldness.
[3] In advance.   [4] His suit in court.
[5] The "mercy" means that he was fined sixpence.
[6] Pontefract.

sua : plegius de prosequendo Johannes Jamot ;
plegius defendencium corpora eorum. Et pre-
dicta Margareta dicit quod predicti Rogerus et
Beatrix infideliter et malo modo die Jovis in
septimana Pasche ultimo praeterita elongave-
runt et asportaverunt unum par de sotularibus [1]
extra domum prefate Margarete, de quibus sotularibus adhuc inventi sunt segsiti.[2] Et prefati
Rogerus et Beatrix defendunt etc. set dicunt
quod ipsos sotulares fideliter emerunt in foro
pro ij d. ob. Et quod hoc verum sit ponunt se
in Deo et in juratis de bono et malo. Qui veniunt et dicunt per sacramentum suum quod dicti
Rogerus et Beatrix predictos sotulares non emerunt set ipsos extra domum prefate Margarete,
ut dictum est superius, asportaverunt. Et quia
dicti sotulares sunt parvi precii pro quo precio
nullus amittat vitam vel membrum, consideratum est quod dicti Rogerus et Beatrix delibe-
rent [3] villam S. Yvonis ne amplius de cetero red-
eant ibidem.

26 *It is well known that the daily Hours, of which
the real origin was doubtless the Psalmist's " Seven
times a day will I praise thee ", were represented as*

[1] Shoes.   [2] Seized.   [3] Quit.

*symbolical of the seven stages of our Saviour's passion :
Dr. Neale's lines supply a satisfactory* memoria
technica *of the connexion :*

At Matins bound, at Prime reviled, condemned to death at
    Tierce,
Nailed to the cross at Sext, at None His blessed side they
    pierce :
They take him down at Vesper-tide, in grave at Compline lay,
Who thenceforth bids His Church observe her sevenfold hours
    alway.

*The following hymn, interesting from being in Goli-
ardic metre, which was more often reserved for lighter
subjects, is found in the* Sarum Primer *in the
"Hours of the Eternal Wisdom" : it probably dates
from the early fourteenth century. It deals with the
same symbolism in a rather more elaborate manner.*

Ad Matutinas

Patris sapientia, veritas divina,
Deus Homo captus est hora matutina,
A notis discipulis cito derelictus,
A Judaeis venditus, traditus, afflictus.

Ad Primam

Hora prima ductus est Jesus ad Pilatum ;
Falsis testimoniis multum accusatum,
In collo percutiunt manibus ligatum ;
Vultum Dei conspuunt lumen caeli gratum.

73

AD TERTIAM

" Crucifige ", clamitant hora tertiarum ;
Illusus induitur veste purpurarum :
Caput ejus pungitur corona spinarum ;
Crucem portat humeris ad locum poenarum.

AD SEXTAM

Hora sexta Jesus est cruci conclavatus,
Atque cum latronibus pendens deputatus ;
Prae tormentis sitiens felle saturatus,
Agnus crimen diluit sic ludificatus.

AD NONAM

Hora nona Dominus Jesus expiravit ;
" Heli " clamans animam Patri commendavit ;
Latus ejus lancea miles perforavit,
Terra tunc contremuit et sol obscuravit.

AD VESPERAS

De cruce deponitur hora vespertina,
Fortitudo latuit in mente divina ;
Talem mortem subiit vitae medicina,
Heu, corona gloriae jacuit supina.

AD COMPLETORIUM

Hora completorii datur sepulturae
Corpus Christi nobile, spes vitae futurae ;
Conditur aromate ; complentur scripturae :
Jugi sit memoria mors haec mihi curae.

74

27 *John Duns Scotus, a north-countryman who lived* 1265–1308, *joined the Franciscans early in life, and taught at Merton College, Oxford : he went to Paris early in the fourteenth century, and there took his Doctor's degree. He was the greatest of the " realists " among the scholastic philosophers, the chief opponent of the theology of St. Thomas Aquinas, and perhaps the acutest critical mind of the Middle Ages, though less strong on the constructive side.*
The following extract from his Opus in librum quartum Sententiarum *(i.e. the* Sentences *of Peter Lombard), dist.* 50 ad fin. (c. 1300), *is a fair specimen of the scholastic method on a point which has amused later moralists : the opposite arguments, from St. Gregory and the Master of the* Sentences, *may be found by the curious in W. E. H. Lecky's* History of European Morals, *chap. iv.*

UTRUM BEATI VIDEANT POENAS DAMNA-
TORUM

Videtur quod non. Quia si viderent aliquid, esset eis ratio videndi : sed nihil potest esse ratio videndi eis, quia non essentia divina ; quia ipsa non repraesentat omnia ut distincta ; quia ipsa est indeterminata ad omnes creaturas, nec proprietas personalis ; quia illa non est com-

munis tribus, nec alius respectus ad exempla ;
quia ille non potest esse cognitus nisi prius sint
cognita extrema : ergo cum nihil aliud sit in
divinis nisi aliquid illorum, et per illa non cog-
noscunt, ergo non possunt cognoscere. Praeterea. Nihil cognoscitur nisi quod habet ideam
in Deo: poena autem est quoddam malum: ergo
non habet in Deo ideam : ergo, etc. Praeterea.
Si vident poenas damnatorum, vel volunt ea
vel nolunt. Si volunt, ergo videntur crudeles.
Si nolunt et non possunt sublevare, ergo cadit
in eis tristitia, quod est inconveniens : ergo, etc.
Contra; Gregorius in dialogo, et ponit Magister
in littera.

28 *Didactic or gnomic poetry is very common in the
Middle Ages ; much of it founded on Publilius
Syrus, the pseudo-Cato, and the* Octo *auctores*
morales. *Most of it is in hexameters, with or
without rhymes, and it is so comparatively rare in a
lyric poem that it is worth while quoting the following
lines from the MS. Latin No. 15,155 of the Bibliothèque Nationale. The text is given in Hauréau*,
Notices et extraits de quelques manuscrits latins
de la bibliothèque nationale, *Paris*, 1892, *vol. iv.
p. 314. They are probably of the fourteenth century,
and their author is unknown.*

76

Ampulla vitrea
Sub mole saxea
   Cito confringitur ;
Et per convicia
Impatientia
   Bene perpenditur.

Ovis in frigore
Posito vellere,
   Leniter moritur ;
Et si poſt ſtudium
Succedit otium,
   Labor amittitur.

Si desit ſtimulus,
Non vadit asinus
   Pressus pigritia ;
Cedat correptio,
Semper in otio
   Eſt pueritia.

Poſt mortem socii
Non nubit alii
   Turtur, sed moritur ;
Sic amicitia,
Fida per omnia,
   Nunquam dissolvitur.

Si tuba canitur,
Cervus revertitur,
   Exspeꞔtans catulos ;
Quae mors eſt animae,
Laus vera minime
   Deleꞔtat populos.

Stridor hirundinum
Quietem hominum
   Turbat et somnium ;
Stulta loquacitas,
Si frenum adimas,
   Turbat collegium.

Mus leve capitur
Quod semper utitur
   Uno refugio ;
Leve decipitur
Qui semper utitur
   Uno consilio.

Qui pomum viride
Carpit improvide
   Maturum negligit ;
Carebit praemio
Pro beneficio
   Qui laudes diligit.

Sic pullos alios
Nutrit ut proprios
    Columbae bonitas ;
Congaudet prosperis,
Condolet asperis
    Proximi caritas.

Quisquis ad citharam
Instruit asinam
    Hostis est fidium [1] ;
Qui stulto praedicat
Hic sibi vindicat
    Risum et taedium.

Sabulum seminat
Fur, ut aes audiat
    Quod nequit cernere ;
Et per convicia
Mordet invidia
    Quos nequit laedere.

Si furem redimis
Et mortem adimis
    Acquiris odium ;

Et si servieris
Quem nequam noveris
    Non dabit praemium.

Volens evadere,
Non timet scindere
    Castor [2] virilia ;
Nec timet tollere
Fluxum a corpore
    Quaerens caelestia.

Vespa panniculis
Fit api similis,
    Sed non mellifera ;
Sic foris fertilis
Sed intus sterilis
    Omnis hypocrita.

Si panem sedulo
Dederis catulo,
    Te semper sequitur ;
Sic fur stultissimi
Leniter proximi
    Domum ingreditur.

[1] The strings.
[2] The beaver, in medieval legend, bites off the part of
its body sought by the hunters and leaves it behind, in
order to escape with its life.

29 *This poem occurs in a MS. in my possession, dated* 1418. *It is also found, with a few variants, in a MS. at Trinity College, Cambridge, and is printed in Edelstand Du Méril's* Poésies latines du moyen âge, *who justly remarks that it shows more classical feeling than most poems of its time, and in* Philologus, *xxiii.* 545, *by Moritz Schmidt. This, like No.* 24, *is difficult to date. I had printed it here thinking that it was of the early Renaissance, but I am told that it is more probably of the eleventh century, and perhaps even earlier. In that case the wealth and accuracy of its classical learning is the more remarkable.*

INCIPIUNT LAMENTATIONES OEDIPODIS
THEBARUM REGIS

Diri patris infausta pignora, ante ortus damnati
    tempora,
Quia vestra sic jacent corpora, mea dolent in-
    trorsus pectora.

Fessus luctu, confectus senio, gressu tremens
    labente venio,
Quam sinistro natus sim genio, nullo capi potest
    ingenio.

Cur fluxerunt a viro semina, ex quibus me con-
    cepit femina ?
Infernalis me regni numina produxerunt in vitae
    lumina.

Si me nunquam vidisset oculus, hic in pace
    vixisset populus :
Si clausisset haec membra tumulus, hic malo-
    rum non esset cumulus.

O in quanto dolore senui, animam hanc plus
    justo tenui :
Viri fortes et bello strenui, quam nefanda nocte
    vos genui !

Ab antiqua rerum congerie, dum pugnarent
    rudes materiae,
Fuit moles hujus miseriae ordinata fatorum serie.

Cum infelix me pater genuit, Tisiphone non
    illud renuit ;
Alimenta dum mater praebuit, ferrum mihi
    parasse debuit.

Incestavi matris cubilia, vibrans ferrum per
    patris ilia :
Quis hominum inter tot milia perpetravit un-
    quam similia ?

Turpis fama Thebani germinis mundi sonat
    diffusa terminis :
Quaterfidi terrarum liminis tangit metas nox [1]
    nostri criminis.

[1] vox in the version printed in *Philologus*; probably
rightly.

Infami me reum luxuria infernalis foedavit furia;
Si me odit deorum [1] curia, confiteor hoc non
    est injuria.

Me oderunt revera superi, patentibus hoc signis
    comperi :
Umbram sontem istius miseri abhorrebunt et-
    iam inferi.

Scelus meum dat famae pabula, dum [2] me sonat
    per orbem fabula :
In patenti locatum specula hoc feretur crimen
    per saecula.

Solacio leventur ceteri : consolator, me solum
    praeteri !
Necesse est me luctu deteri. O utinam nil pos-
    sem fieri !

Nomen meum transcendit Gargara ; me Rho-
    dope, me norunt Ismara :
De me Syrtis miratur barbara ; meum scelus
    abhorrent Tartara.

Si pudore carerent aspera, minus esset sors
    nostra misera ;
Sed pudenda Thebarum scelera mare clamat,
    tellus, et sidera.[3]

[1] si deorum (MS. siderorum) me odit curia *Philol.*
[2] de *Philol.*
[3] The order of this stanza and the next are changed in
two of the MSS.

O quam male servastis, filii, constitutas vices
    exilii :
Caro nitens ad instar lilii,[1] quid de vobis sumam
    consilii ?

Quod dolore nondum deficio ex ignoto pro-
    cedit vicio :
Gravi demum pressus exitio, mortis horam jam
    solam sitio.

Cordis mei vulnus aperui, quando ego mihi
    oculos erui,
Supplicium passus ergo quod merui, jure ego
    meum regnum deserui.

Parentelae oblitus celebris, in cisternae me clausi
    latebris ;
Instar agens neniae funebris in maerore vixi ac
    tenebris.

Ibi digne indulgens domui, meum virus in vos
    evomui :
Velut gladium linguam exacui, imprecansque
    vobis non tacui.

Quod petebat vox detestabilis, ira complet deo-
    rum stabilis :
Cruciatus est ineffabilis quem patimur gens
    miserabilis.

[1] It seems clear from the whole poem, as well as from
this line, that Oedipus is standing over the dead bodies
of Eteocles and Polynices.

30 *King Henry VI., after his death in* 1471, *was regarded in some parts of England, especially in Yorkshire, as a Saint, and Offices in his honour are found in some of the liturgical books. His formal canonization was suggested at Rome, but never went through ; I believe it is to be raised anew by English Roman Catholics. This hymn, which exists in a manuscript at Corpus Christi College, Oxford, is still sung at Prayers in College at Eton, the school of his foundation.*

Rex Henricus, sis amicus
    Nobis in angustia ;
Cujus prece nos a nece
    Salvemur perpetua.

Lampas morum, spes aegrorum,
    Ferens medicamina,
Sis tuorum famulorum
    Ductor ad caelestia.

Pax in terra : non sit guerra
    Orbis per confinia :
Virtus crescat, et fervescat
    Caritas per omnia.

Non sudore vel dolore
    Moriamur subito :
Sed vivamus et plaudamus
    Caelis sine termino.

3 1 *Of the following anonymous epigrams, the first (early fifteenth century) is a* memoria technica *of the seven liberal arts. The other two are much later ; the second gives the reasons for a drink, the third refers to the custom, descended from classical times, of drinking the beloved's health in as many glasses as there are letters in her name. This dates from the period when the Authorized Version was familiar : in the Vulgate the names of Job's daughters are quite different.*

Gram loquitur, *Dia*[1] vera docet, *Rhet* verba colorat,
Mus canit, *Ar* numerat, *Geo* ponderat, *As* colit astra.

———

Si bene commemini, sunt causae quinque bibendi :
Hospitis adventus; praesens sitis, atque futura;
Aut vini bonitas ; aut quaelibet altera causa.

———

Quinque Kezia et sex cyathis Jemima bibatur ;
Ebrius es, si quis te Keren-Happuc amat.

※░▓◇░▓◇░▓◇░▓◇░▓◇░░

3 2 *A good number of the following stories from the* Facetiae *of Poggio and Bebel satirize the ignorance*

[1] Dialectica.

and sometimes the vice of the medieval clergy. It must not be assumed from this that either of the writers was what would now be termed an anti-clerical, and indeed a certain flippancy when dealing with sacred things is often a mark of a kind of devotion. Janet Ross, in her very entertaining book of reminiscences, The Fourth Generation, relates a story of two Egyptian fellaheen. One asked : " If Allah were to die, who would bury him ? " His friend answered : " O thou of small understanding, how canst thou talk so foolishly—like a child ? Of course, the angels would bury him." To which the first replied : " O thou of little faith and no know-ledge, thou talkest wildly. Will not our Prophet, who is sharper than any monkey, bury him ? " Yet this story implies no lack of Mussulman orthodoxy in either of the peasants or in the donkey-boy, Hassan, who related it to Mrs. Ross.

Poggio Bracciolini (1380–1459), a papal secretary, is famous as a humanist and an enthusiastic searcher for the lost works of classical authors : he carried off such manuscripts as he could get from private and monastic libraries, and those which he could not remove he either copied with his own hand or had repro-duced by trustworthy scribes. In his lighter moments he composed the book of Facetiae, from which the first portion of the following stories are taken ; some were inventions, some actual occurrences, some were the floating stories of the ages, such as are now told by

85

*commercial travellers to one another in the bars of
hotels, which he wrote down.*

Heinrich Bebel (1472–1518), *though he lived a
generation later, may in this matter be considered
Poggio's German counterpart. A Swabian born,
he was at twenty-five a Professor at Tübingen, where
he wrote on the great deeds of German history and the
principles of Latin versification, though he knew so
little Greek that he was obliged to write to Reuchlin
to ask him if* eleison *was a word of three or four
syllables. His* Facetiae *give as good a picture of low
life in Germany, especially in the small towns and
villages, as Poggio's of provincial Italy.*

Poggii Facetiae, London, 1798

p. 22. QUADRAGESIMA EXTEMPORALIS

Aellum oppidum est in nostris Apennini montibus admodum rusticanum : in eo habitabat
sacerdos rudior et indoctior incolis. Huic cum
ignota essent tempora annique varietates, ne-
quaquam indixit quadragesimam populo suo.
Venit hic ad Terram Novam, ad mercatum [1]
sublatum ante solemnitatem palmarum, con-
spectisque sacerdotibus olivarum ramos ac pal-
mulas in diem sequentem parantibus, admirans
quidnam id sibi vellet, cognovit tunc erratum
suum, et quadragesimam nulla observatione

[1] Fair, market.

86

suorum transisse. Reversus in oppidum et ipse ramos palmasque in posterum diem paravit : qui, advocata plebecula, "Hodie", inquit, "est dies, qua rami olivarum palmarumque dari ex consuetudine debent : octava die Pascha erit ; hac tantum hebdomada agenda est paenitentia, neque longius habemus hoc anno jejunium ; cujus rei causam hanc cognoscite. Carnis- privium hoc anno fuit lentum ac tardum, quia propter frigora et difficultatem itinerum hos montes nequivit superare, ideoque quadrage- sima adeo tardo ac fesso gradu accessit, ut jam nil amplius quam hebdomadam unam secum ferat, reliquis in via relictis. Hoc ergo modico tempore, quo vobiscum mansura est, confitemini et paenitentiam agite omnes."

p. 24. CRUCIFIXUS VIVUS

Ex hoc quidem oppido missi sunt quidam Are- tium ad emendum ligneum Crucifixum, qui in eorum Ecclesia poneretur : deducti ad hujus- modi rerum opificem quendam, cum rudes et veluti stipites essent, opifex risus materiam au- ditis hominibus quaerens, vivumne an mortuum Crucifixum vellent, postulavit. Illi, sumpto paulo temporis ad consultandum, secreto col- locuti demum responderunt se vivum malle ; nam si eo modo suo populo non placeret, se illum evestigio occisuros.

p. 45. CANIS TESTAMENTUM

Erat sacerdos in Tuscia quidam rusticanus, sed admodum opulentus. Hic caniculum sibi carum, cum mortuus esset, sepelivit in cimiterio. Sensit hoc episcopus, et, in ejus pecuniam animum intendens, sacerdotem veluti maximi criminis reum ad se puniendum vocat. Sacerdos, qui animum episcopi satis noverat, quinquaginta aureos secum deferens ad episcopum devenit; qui sepulturam canis graviter accusans, jussit ad carceres sacerdotem duci. Hic vir sagax, " O pater ", inquit, " si nosceres qua prudentia caniculus fuit, non mirareris si sepulturam inter homines meruit; fuit enim plus quam ingenio humano, tum in vita, tum praecipue in morte". " Quidnam hoc est ? " ait episcopus. " Testamentum", inquit sacerdos, "in fine vitae condens, sciensque egestatem tuam, tibi quinquaginta aureos ex testamento reliquit, quos mecum tuli." Tum episcopus et testamentum et sepulturam comprobans, accepta pecunia, sacerdotem absolvit.

p. 129. JOCUS DANTIS

Dantes, poeta noster, cum exul Senis esset, et aliquando in Ecclesia Minorum, cubito super altare posito, cogitabundus aliquid secretius scrutaretur animo, accessit ad eum quidam,

88

nescio quid molestius petens. Tum Dantes,
"Dic mihi", inquit, "quae est maxima omnium
beluarum?" At ille, "Elephas", respondit.
Cui Dantes: "O elephas, sine me", inquit,
"majora verbis tuis cogitantem, et noli esse
molestus".

p. 207. VENETUS JUDEX

Causa quaedam testamentaria tractabatur Vene-
tiis apud judices in certa curia saeculari. Aderant advocati partium, quisque sui clientis jus
defendens; alter et sacerdos testem suae de-
fensionis attulit Clementinam et Novellam,
certam sententiam earum referens. Tum ex
judicibus grandaevus quidam, cui ea nomina
ignota erant, truci vultu in advocatum versus,
"Quid, diabole, tu", inquit, "non erubescis
coram talibus viris feminas impudicas et mere-
triculas nominare, earum verba pro sententiis
a nobis comprobari putans?" Existimavit vir
ille stolidus Clementinae et Novellae non legum,
sed feminarum nomina esse, quas ille pro con-
cubinis haberet domi.

p. 208. ASINUS D. CHRISTOPHORO MAJOR

Praedicator ad populum in festo Sancti Christo-
phori multis verbis extollebat Sanctum, quod
Christum suis humeris portasset, saepius in-
terrogans, ecquis tantam habuisset in terris
praerogativam, ut Salvatorem ferret? Et cum

molestius in hac interrogatione perseveraret, quis unquam simili fuisset gratia, ex astantibus facetus quidam frequenti interrogatione pertesus, "Asinus", inquit, "qui filium et matrem portavit".

p. 214. VOTUM

Cum essem in Anglia, audivi facetum dictum cujusdam magistri onerariae navis, qui erat Hiberniculus. Jactabatur magnis in mari fluctibus navis, et tempestate quassabatur adeo ut salutem omnes desperarent. Magister, si salva navis evaderet tempestatem, cuidam ecclesiae Dei Genitricis Virginis Mariae, quae ante ob similia miracula insignis erat, vovit candelam ceream instar mali navis. Tum socius cum votum culparet ut difficillimum factu, cum in tota Anglia tantum cerae non esse affirmaret ut talis candela posset confici, "Obtace", inquit magister, "et quantumlibet Matri Dei pollicear, dummodo periculum evadamus, sine. Nam si salvabimur, candela parvi nummuli contenta erit".

p. 222. SACERDOTII VIRTUS

Episcopus Hispanus iter faciens die Veneris ad hospitium divertit, missoque servo qui pisces emeret, non reperiri eos venales, sed duas perdices patrono retulit. Ille eas emi et simul coqui, ac in mensam deferri jussit. Admiratus

90

servus, qui emptas eas pro die dominico cre-
deret, quaesivit ab episcopo num eas esset esurus,
cum tali die carnes essent prohibitae. Tum episcopus, "Pro piscibus", inquit, "utar". Multo
id magis admiranti responsum : "An nescis" ait
"me sacerdotem esse? Quid est majus, ex pane
Corpus Christi facere, an ex perdicibus pisces?"
Factoque crucis signo, cum eas in pisces verti
imperasset, pro piscibus usus est.

p. 258. SACERDOTIS IGNORANTIA

Socius quidam in festo Epiphaniae narravit mihi
stultitiam ridiculam sacerdotis contribulis [1] sui.
"Sacerdos fuit", inquit, "qui populo nuntians
Epiphaniae celebritatem futuram : 'Cras,' ait,
'summa devotione veneremini Epiphaniam,
maximum enim et praecipuum festum : nescio
autem vir fuerit an femina ; sed quidquid ex-
titerit, a nobis est summo timore hic dies cus-
todiendus'."

Facetiae Bebelianae, Amsterdam, 1651

p. 67. HISTORIA DE JUDAEO

Duces Saxoniae habebant Judaeum multarum
rerum experientia insignem, quem ob eam rem
multa benevolentia prosequebantur, summisque
conatibus studebant avocare a Judaeorum in-
credulitate, atque ut Christianus fieret multis

[1] Fellow-townsman.

precibus adhortabantur. Judaeus tandem illorum precibus paulisper motus dixit se prius Romam profecturum, ubi Christianae fidei principem et mores ejus cognosceret ; post deliberaturum. Atque Romam profectus, et mores Romanae urbis expertus, ad Principem cum rediret, dixit se velle Christianum fieri, atque ideo, quoniam tam depravati mores sint, ac adeo omnia flagitiis et turpitudini obnoxia, ut nisi singulari veri Dei auxilio protegeremur Christiani, et nisi tam Deum appropinquantem haberemus, nobis nullo pacto res et fides consistere posset.

p. 81. DE QUODAM ADVOCATO

Quidam advocatus post multas causas, in quibus victor evasit, monachus factus est, et cum in negotiis monasterii praepositus multis in causis succubuisset, interrogatus est ab abbate cur omnino in causis agendis mutatus esset. Respondit ille : " Non audeo mentiri ut ante ; ideo amitto causas ".

p. 81. DE DISPENSATIONE

Albertus Magnus Suevus, omnium recte philosophantium princeps, cuidam canonico Coloniam Agrippinam cum dispensatione a Curia cum pluribus beneficiis redeunti dixit: "Potuisti prius ire ad inferos sine licentia, nunc ibis illuc cum dispensatione ".

92

p. 99. De sacerdote Italico

Conveni sacerdotem quendam Italicum in Oeni-
ponte,[1] qui erat cum exulibus Mediolanensibus,
et coepi percontari de novis rebus Italiae. Ille
averso vultu stans ait : " Non intelligo : non
sum sacerdos ad grammaticam ". Tum ego,
" Ad quid es sacerdos ? " dixi. Respondit,
" Ad tria missa ". Et ego in eodem genere
quaesivi, " Ad qualia ? " Respondit, " De
beata Virgine, Spiritu Sancto, et pro defunctis ".
" Vade ergo in pace cum tua tria missa ", dixi.

p. 139. Contra ignaros sacerdotes

Commissa fuit cura pastoralis cujusdam pagi
sacerdoti imprimis rudi et indoctissimo, qui
cum sepelire vellet gladio interemptum quendam in adulterio deprehensum, affuerat ei tunc
inopinato vicinus sacerdos, qui censuit prius
episcopi consensum petendum. Acquievit in-
eptum capitulum,[2] atque episcopum accedens
flexis genibus dixit : " Proficiat venerabilem
patrem ". Episcopus tacuit atque hominem in-
dignanter aspexit. Tum rursus ille : " Proficiat
venerabilem patrem : Joannem de Luterbach est
mortuum, non elatum (pro ' oleo unctum '),
non chrismatum : non sepultum, sine crux,[3]

---

[1] Innsbruck. [2] Chattel, creature.
[3] A. Niceforo, *Il Gergo*, Turin, 1897, p. 60, "*Luce e croce*

sine lux, et sine Deus " : et nihil amplius Latine sciens loqui, dixit „Herr, ſol ich ihn in den Kirchhoff begraben?" Respondit Episcopus : "Non". Cui sacerdos : " Quare?" Ad hoc episcopus : " Quis te ordinavit in presbyterum?" Respondit sacerdos : „Ihr, Herr". Cui episcopus : " Quando?" Ad hoc sacerdos summisse : „Herr, wiſſet Ihr; da ich Euch die zehen Gülden gab". Ita episcopus propriam culpam invenit et extorsit.

p. 195. CUJUSDAM SACERDOTIS DE D. MARTINO INSULSUM DICTUM

Concionabatur quidam sacerdos de meritis Divi Martini, quomodo media hyeme in summo frigore tunicam suam disciderit atque cuidam mendico impertiverit : Chriſtum dixisse ad illum : " Domine Martine, si hujus ego tibi beneficii obliviscar, auferat me Diabolus ad inferos ".

p. 252. DE PEDELLO[1] VIENNENSI

Quidam doctor sacerdos Viennae in rectorem Gymnasii erat electus. Is suae facultatis juridicae apparitorem, quem pedellum vulgo nominitant, in negotiis tam divinis quam humanis

si dice al bimbo quando ancora è nel ventre materno, e significa : potessi nascere e morire! (tono imperativo)".
[1] Beadle, clerk.

94

comitem habere solebat : et cum pro more suo sacrificium Deo oblaturus esset atque *confiteor* perorasset, pedellus ut rectori suo celebraturo ministraturus justum et meritum titulum tribueret, hisce verbis dicebat: "Misereatur omnipotens Deus Magnificentiae Vestrae,[1] et perducat Vestram Magnificentiam [1] ad vitam aeternam" : ignominiae loco ducens si rectorem in secunda persona atque singulari numero conveniret ; non perpendens in Oratione Dominica se orare " Pater noster, qui es in coelis ", etc.

Facetiae Adelphinae [2]

p. 284. DE INDOCTO PRAELATO

Magnus praelatus in urbe Roma cum interesset prandio delicatissimo et opiparo, et solum sinapi deesset, exclamavit : " O quanta patimus pro Ecclesia Dei". Alter ad latus ejus assidens, ipsius errorem castigans dixit : " Patimur ". Tum primus ait : " Non magni refert, si patimus aut patimur dixerimus : utrumque enim genitivi casus est ".

[1] The words in the missal being simply *tui* and *te* respectively.

[2] Johannes Adelphus, a doctor who rendered considerable service to German literature, published his *Margarita Facetiarum* at Strasburg in 1508.

33 Many of the preachers of the late Middle Ages used unconventional expressions in their sermons which would now be thought unbecoming in the pulpit : though there is no doubt that they were of great value for piercing the rather thick skulls of rustic hearers. A good example may be found in the sermon in Longfellow's Golden Legend; *their more serious merits in Dr. Neale's book on* Medieval Preaching. *Oliver Maillard, a Breton by birth, first of the Friars Minor and then of the Observantines, was one of the most famous French preachers of the second half of the fifteenth century (he died at Narbonne in* 1502) : *the following extract is taken from the editions of his sermons printed at Paris in* 1511 (*Advent sermons*) *and* 1512 (*Lent sermons*). *On the Tuesday of the first week in Lent he speaks against the misuse of indulgences and the rascality of some pardoners.*

Suntne hic pastores bullarum ? Certe ibi est magnus abusus, et miror quod praelati non apponant remedium. Durandus [1] dicit quod de indulgentiis nihil habemus certum in Sacra Scriptura. Legatis Basilium, Hieronymum, Augustinum : nihil dicunt de indulgentiis. Ita dicunt doctores moderni, et asserunt quod materia indulgentiarum semper fuit dubia. Sed

[1] The famous writer on ecclesiastical symbolism, bishop of Mende at the end of the thirteenth century.

96

diceret aliqua mulier : " Pater, ego nescio si sint bonae : nonne melius eſt capere poſtquam episcopus misit ? " Credo quod capiunt partem suam, et omnes sunt fures. Heu, sunt aliqui bullatores, qui dicunt quod si scirent quod pater eorum non cepisset, numquam orarent pro eo : ad omnes diabolos ! [1]

34 *Michael Menot, also a Friar Minor, died about* 1518. *His Lenten sermons, preached at Tours, were published in the same town in* 1519. *He is remembered by his account of the Judgement of Solomon : the women are quarrelling before him, and one of them swears by her religion. " Silence," says the king; " I can see that you have never ſtudied at Angers or Poitiers to learn how to plead ! " On the firſt Friday in Lent he is preaching againſt the undue accumulation of benefices in single hands and describing the punishment of pluralism.*

[1] Maillard frequently uses this and similar expressions. " Invito vos ad omnes diabolos. . . . Ad omnes diabolos talis modus agendi. . . . Ad triginta mille diabolos talis poena." Another peculiarity was his use of the cough as a rhetorical ornament ; he is said to have marked certain passages of his sermons with the words *Hem ! Hem !* in the margin to show where the cough was to be introduced.

Audite, domini mei, quando scissor lignorum est in silva, primum scindit arbores per pedem, postea grossos ramos, et tandem parvos, quos simul ligat. Sic isti Protonotarii qui habent illas dispensas ad tres, immo ad quindecim beneficia, et sunt simoniaci et sacrilegi, non cessant arripere beneficia incompatibilia. Idem est eis ; si vacet episcopatus, pro eo habendo dabitur unus grossus fasciculus aliorum beneficiorum. Primo accumulabuntur archidiaconatus, abbatiae, duo prioratus, quatuor aut quinque prebendae, et dabuntur haec omnia pro recompensatione, et non erit ramusculus in hoc fasciculo, qui non bene serviat. Sed de quo serviet iste fasciculus ? Certe ad comburendum animas vestras in igne inferni. Nonne dico verum ? Numquid hodie cardinalatus et archiepiscopatus sunt lardati de episcopatibus, et episcopatus pluribus abbatiis et prioratibus ? Ad omnes diabolos talis modus faciendi !

His description of the conversion of St. Mary Magdalene, in which he occasionally drops into a few words of the vernacular, is particularly characteristic and lively.

Magdalena erat domina terrena [1] de Castro Magdalon tam sapiens, quod erat mirum audire loqui de sapientia ejus et prudentia : O ergo

[1] Of the landed nobility.

Magdalena, quomodo venisti ad tantum inconveniens, quod vocemini magna peccatrix? Et non sine causa. Data est tribus consiliariis qui eam posuerunt in tali statu : scilicet primus, corporalis elegantia ; secundus, temporalis substantia ; tertius, libertas nimia : videbatur *qu'elle étoit faite pour regarder*, pulchra, juvenis, alta. Credo quod non erat nisi quindecim aut sexdecim annorum quando rediit ad bonitatem Dei. Martha soror non audebat ei dicere verbum. Omnes bibendo et comedendo loquebantur de ea et de ejus vita : Martha soror timens Deum, et amans honorem *de sa lignée*, venit ad eam, dicens : " O soror, si pater adhuc viveret, qui tantum vos amabat, et audiret ista quae per orbem agitantur, certe poneretis ei mortem inter dentes ; facitis magnum dedecus progeniei nostrae ". " Quid vultis dicere, heu soror ? Non opus est ultra procedere, neque amplius manifestare. Scitis bene quid volo dicere, et ubi jaceat punctus, *O bigote*. *De quoi mêlez-vous*, *belle dame?* Non estis magistra mea . . . scio quid habeo agere ita bene sicut una alia." Martha rogabat eam ut iret ad sermonem. . . . " O soror, essetis valde felix, si possetis videre unum hominem qui praedicabat in Jerusalem : est pulchrior omnibus quos umquam vidistis, tam gratiosus, tam honestus : credo firmiter quod si videretis eum, essetis amorosa de eo ;

99

est in flore juventutis suae." . . . Illa cepit pulchra
indumenta sua, aquam rosaceam pro lavando
faciem suam ; cepit speculum, videbatur quod
esset unus pulcher angelus : misit ante se man-
gones portantes *force carreaux cramoisis* [1] . . . Christus jam erat in media praedicatione, vel forte in
secunda parte. . . . Ipsa coepit detestari vitia,
bragas, pompas, vanitates. . . . Tunc venerunt
galandi, amorosi, et rustici, qui dixerunt : " Surgatis, surgatis ; facitis nunc *la bigote* ; vadamus
ad domum."

*The preacher goes on to describe how she rejected her
lovers' appeals, and how she went home and fetched*
ex suo armoriolo aquam *de senteur*, quae vende-
batur pondere auri, *and inquired where the Lord
was supping that day, in order to wash His feet with it.*

35 *One collection, the* Sermones Dormi secure,
*was already printed in the fifteenth century, and there
was certainly an edition at Cologne as late as* 1625 :
they are doubtfully attributed to a certain Martinus
de Werdena. *An edition printed at Paris in* 1520
is entitled ℂ Sermones Dominicales [2] per annum

[1] Red cloth to walk upon.
[2] There was also a series *Sermones de Sanctis*.

satis notabiles et utiles omnibus sacerdotibus, pastoribus, capellanis ; qui *Dormi secure* vel dormi sine cura sunt nuncupati : eo quod absque magno studio faciliter possint incorporari et populo praedicari. *The author was sensible of the dangers of pilgrimages :* Multae virgines vadunt ad Sanctum Jacobum,[1] quae redeunt meretrices, ut patuit in anno jubilaeo de euntibus Romam, et dormientibus in paleis ; item de duabus viduis Valenciae euntibus ad Sanctum Jacobum. *After the Temptation in the Wilderness, he represents the Virgin sending our Saviour the dinner she had prepared for herself—some cabbage or broth, or some spinach, or perhaps a few sardines :* Virgo misit prandium quod pro se paraverat, ut caulas, vel brodium, ut spinagia, et forte sardineta. *The sermon for the second Sunday after Epiphany, on the miracle at Cana in Galilee, is a good example of his style and treatment. He describes the conversion of the water into wine, and then goes on to talk of the qualities of ordinary wine.*

Sed multi sunt qui utuntur hoc vino superflue, et inde inebriantur : unde multa mala committunt ; unde legimus figuram in Genesi, quod Noe post diluvium invenit vitem quam habuit propagine, et divisit in quattuor partes et plantavit in quattuor vites (et hoc ut Josephus in

[1] St. James of Compostella.

scholastica hystoria) et fudit Noe sanguinem leonis juxta vinum seu unam vitem, juxta secundam sanguinem ovis, juxta tertiam sanguinem porcorum, juxta quartam sanguinem symiae. Bibit vinum quod postea maturum fuit et inebriatus est et dormivit, et Cham, qui fuit filius ejus, irrisit patrem suum. . . . Postquam fuit jejunus, vocavit filios suos juxta vites et dixit eis : " Ecce juxta primam vitem fudi sanguinem leonis, ut qui biberit vinum usque ad inebrietatem erit velut leo, opprimens, destruens, et percutiens : ideo modice bibatis. Qui inebriatus fuerit juxta quam fudi sanguinem ovis, dormit, mansuescit, vel vult orare vel confiteri ; quod tamen non fit cum devotione sed cum ebrietate ; ideo modice utimini. Qui vero biberit de vite juxta quam fudi sanguinem porci, vult luxuriari et se velut porcus maculare ; ideo modice utimini. Qui enim inebriatus fuerit de vino juxta quod effudi sanguinem symiae, facit symia ; quia quicquid viderit symia, hoc etiam vult facere. Unde dicunt quod natura symiarum est : qui vult capere symiam silvestrem, accipit bitumen molle et vadit infra arborem ubi symia sedet, et tangit manum in bitumen, et facit qualis se lavaret in facie, et recedit : et cum descendit symia et vult etiam se lavare cum bitumine, bitumen ejus oculos claudit, et sic arborem ascendere non potest, et sic capitur." Ita

102

multi cum inebriati sunt a vino, faciunt sicut symia : si viderint aliquem clamare, clamant ; si viderint aliquem currere, currunt ad peccatum, et sic cum bitumine peccatorum claudunt oculos, scilicet animae suae, ne valeant ascendere ad arborem sanctae crucis in mente cogitando de Christo, et ideo capiuntur a venatore, id est diabolo.

36 *The collection of satires known as the* Epistolae obscurorum virorum *is so well known that it will neither be necessary to explain their origin here nor to give long excerpts from them. It will suffice to say that they represent the attack made by the young humanists of Germany on the old theological schools of the Empire in the first twenty years of the sixteenth century ; whether the composition of Ulrich von Hutten or not, they represent his party, with Reuchlin as protagonist and Erasmus as patron, against the theologians of Cologne, to some extent supported by Paris, and by the Dominican order at large, the principal objects of satire being the supposed recipient of the letters, Ortuinus Gratius of Cologne, the converted Jew, Pfefferkorn, and several of the former's colleagues and friends. The English reader has the advantage of a full and scholarly edition and trans-*

103

*lation by Mr. F. Griffin Stokes, with as complete
an historical introduction as he could desire.*

*The two passages quoted here throw some light on
contemporary German belief in witchcraft and prac-
tical magic, the latter combined, as often, with the
ceremonies of the Mass, which could traditionally be
perverted to such ends.*

i. 41

VILIPATIUS DE ANTVERPIA, BACCALAU-
RIUS, M. ORTUINO GRATIO, AMICO SUO
SINGULARISSIMO SALUTEM DICIT MAXIMAM

Venit ad me unus religiosus ordinis Praedica-
torum, discipulus Magistri nostri Jacobi de
Hochstrat, haereticae pravitatis exquisitoris, et
salutavit me. Et statim interrogavi : Quid
facit amicus meus singularissimus M. Ortuinus
Gratius, a quo multa didici in Logica et Poesi ?
Et respondit, quod estis infirmus : tunc cecidi
in terram ante pedes ejus prae terrore.

*The pupil goes on to explain that Ortuinus is
troubled by a painful swelling of the right breast ;
Vilipatius at once concludes that the infirmity is due
to witchcraft, explaining the cause and suggesting a
sure remedy.*

Quando mulieres male pudorosae vident unum
pulchrum virum, sicut vos estis, videlicet qui
104

habet gilvos crines, brunellos oculos vel gravos, os rubeum, magnum nasum, et est bene corporatus, tunc volunt eum habere. Sed quando ille est bene moratus qualificatusque in mente sicut vos, et non curat ipsarum levitates et fallacias, tunc fugiunt ad artes magicas, et in nocte sedent super unam scobem, equitantes super istam scobem ad pulchrum istum virum quem amant, facientes negotium suum cum eo quando dormit, et nihil sentit nisi somnium. Aliquae fiunt cattae vel aves, et sugunt sanguinem ejus per mamillas, et faciunt suum amicum aliquando sic infirmum, quod vix valet cum baculo ambulare. Ego credo quod diabolus docuit ipsas illam artem : verum enimvero sic debemus ipsis obviare, sicut legi in liberaria Magistrorum in Rochstochio, et est verum. In die dominico debemus sumere sal benedictum, et cum eo super linguam facere unam crucem, et comedere ex mandato Scripturae : Vos estis sal terrae (id est, comeditis) ; postea facere unam crucem in pectore, et unam in dorso ; similiter ponere in utramque aurem, semper cum cruce, cavendo ne cadat exinde. Ac postea orate talem orationem devotam :

> Domine Jesu Christe,
> Et vos quatuor Evangelistae,
> Custodite me a malis meretricibus,
> Et ab ipsis incantatricibus,

Ne exsugant meum cruorem,
Et facient gravem dolorem
In meis mamillis.
Quaero, resistite illis ;
Dabo vobis offertorium,
Unum pulchrum aspersorium ;

et eritis liberatus : si iterum veniunt, tunc ex-
sugunt suum sanguinem, et fiunt met [1] infirmae.

ii. 42.

Magister Achatius Lampirius Magi-stro Ortuino Gratio S.P.D.

Valde miror, vir honorabilis, quod scribitis
omnibus sociis et amicis vestris Romam versus,
et solum mihi non scribitis, cum dixistis tamen
quod vultis scribere mihi. Sed intellexi ab
uno qui venit ex Colonia, quod velitis libenter
habere illam artem, de qua dixi vobis semel,
videlicet ut faciatis quod una mulier maxime
amat unum : quamvis jam non scripsistis mihi,
tamen volo mittere vobis, ut potestis videre
qualiter diligo vos ; quia non volo aliquid in
secreto habere prae vobis, sed volo vos docere,
" quae veteres sociis nolebant pandere charis ".
Est autem talis ars illa : sed non debetis aliquem

[1] Poor Vilipatius does not know that *-met* is an enclitic
which can only be added to the personal pronouns.

docere, quia ita abscondo illam, quod non vellem docere fratrem meum, quia plus amo vos quam fratrem meum. Ergo volo participare vobiscum, et faciatis sic :

Quando amatis unam mulierem, tunc debetis quaerere quomodo vocatur ipsa et quomodo vocatur mater ejus : sed ponamus casum, quod amatis unam quae vocatur Barbara, et mater ejus vocatur Elsa. Tunc quaeratis unum crinem de capite ipsius Barbarae : et quando habetis illum crinem, debetis esse contritus, et confessus ; vel ad minus dicere confessionem generalem. Deinde faciatis unam imaginem de cera virginea, et faciatis legere tres missas desuper, ligando illum crinem circum collum ipsius. Postea uno mane audiatis prius missam ; deinde accipiatis ollam novam vitreatam cum aqua, et faciatis ignem in una camera clausa undique, et faciatis fumum de thure, et incendatis unam candelam de cera nova, in qua est modicum de candela Paschali.[1] Deinde dicatis istam conjurationem super imaginem :

Conjuro te, cera, per virtutem Dei omnipoten-

---

[1] The Paschal Candle, weighing thirty-three pounds and containing five grains of incense, stands in the chancel from Easter to Whitsuntide, and is lit at Mass and certain other offices. The wax of the Paschal Candle at St. Peter's at Rome is used to make the stamped waxen medallions known as *Agnus Dei*.

tis, per novem choros Angelorum, per virtutem
Gosdriel, Boldriach, Tornab, Lissiel, Farnach,
Pitrax, et Starnial, quod velis mihi repraesentare
in omni substantia et corporalitate Barbaram
Elsae, ut obediat mihi in omnibus quae volo.

Postea scribatis circum caput imaginis haec
nomina cum stilo argenteo, Astrob ✢ Arnod ✢
Bildrom ✢ Sydra : et sic ponatis imaginem in
ollam et aquam, et ponite ad ignem, et dicatis
istam conjurationem :

Conjuro te, Barbara Elsae, per virtutem Dei
omnipotentis, per novem choros Angelorum,
per virtutem Gosdriel, Boldriach, Tornab,
Lissiel, Farnach, Pitrax, et Starnial, et per virtutem istorum nominum Astrob, Arnod, Bildrom,
Sydra, quod statim incipias amare me ita, quod
sine tardatione velis ad me venire, quia amore
langueo.

Et tunc statim quando aqua incipiet fieri calida,
satis est quia ita incipiet vos amare, quod
quando non videt vos, ipsa nescit ubi est. Pro-
batum est saepe et totiens quotiens. Et debetis
mihi credere quod ista scientia est valde preciosa.
Et ego non darem vobis, nisi amarem vos ita
intentionaliter. Ergo vos etiam semel debetis
mihi participare unum secretum. Et sic valete
cum sanitate vestra. Datum Romanae Curiae.

37 Agostino Nifo (Augustinus Niphus), a Calabrian (1473–c. 1550), was a passionate student of the Greek philosophers : he became professor of philosophy at the University of Naples at the age of eighteen. He published a series of commentaries on Plato and Aristotle which made his reputation throughout Italy and Europe, and was highly honoured by Pope Leo X., who created him a count, allowed him to incorporate the Medici arms with his own, and gave him the power of conferring degrees and of ennobling three persons. The time he could spare from his studies he devoted to youth and beauty ; and the book from which I have taken this extract (De pulchro et amore libri ii., Rome, 1531) is evidence that he was as expert as a courtier and a lover as in the study of Plato and Aristotle. Late in life he became somewhat arrogant about his great position in the world of scholarship : it is related that when the Emperor Charles V. came to see him, he was shown into a room containing only one chair, on which Nifo sat. "I imagine", said he, "that you are a great enough man to have another brought for you ; I am the Emperor of Letters, as you are the Emperor of Soldiers." On the Emperor asking him how Princes could best govern their dominions, Nifo had the assurance to reply : "By employing persons like me".

The Libri de pulchro et amore are of interest as being one of the earliest works containing a more or less scientific treatment of aesthetics : they are dedicated

*to the beautiful Joanna of Aragon, and a description
of her loveliness is employed as a text to illustrate his
theories in general. The extract given below, from
book i. ch. 5, is a careful description of the charms
of his patroness, and should be compared with her
portrait by Giulio Romano, now in the Louvre, which
is reproduced as the frontispiece to this volume. She
was also painted by Leonardo da Vinci.*

Quod autem omni ex parte ac simpliciter in
rerum ipsa natura pulchrum est, argumento
nobis est Illustrissima Joanna, quae tum animo,
tum corpore omni ex parte pulchra est. Animo
quidem, est enim ea Heroines [1] morum prae-
stantia ac suavitas (quae animi ipsa est quidem
pulchritudo) ut non humano sed divino semine
nata esse censeatur. Corpore vero, quando-
quidem forma, quae corporis est pulchritudo,
est tanta, ut nec Zeusis,[2] cum Helenae speciem

[1] Genitive.
[2] Zeuxis. The story is more clearly told by Nifo in
ch. 3 : Rem vero (namely, that *quae absolute omnique ex
parte pulchra sit, nusquam gentium inventam esse*) hanc
Zeusis pictor demonstravit, qui cum rogatu Crotoniatum Helenam effingere decrevisset, antequam eam
depinxisset multarum virginum Crotoniatum, et quidem
pulcherrimarum, partes perspiciendo imitatus est, ut ex
singulis universam Helenae pulchritudinem colligeret ;
per quae indicavit corpoream pulchritudinem in nulla
puellarum omni ex parte perfectam esse.

effingere decrevisset, apud Crotoniatas tot puellarum partes ut unam Helenae effigiem describeret, perquisivisset, sola illius inspecta et pervestigata excellentia. Nam mediocri statura erecta ac gratiosa membris quadam admirabili ratione formatis ornatur, cujus habitudo nec pinguis nec ossea, sed succulenta ; colore non pallido, sed ad rubrum albumque vergente ; capillis oblongis aureisque ; auribus parvis ac rotundis, ad os commensuratis [1] ; semicircularibus superciliis suffuscis, quorum pili breves sunt nec densitudine horrentes ; cesiis ocellis cunctis stellis lucidioribus, qui charites atque hilaritatem omni ex parte perflant ; subnigris palpebris, quarum pili non prolixi, sed decenti ratione compositi sunt ; naso perpendiculariter a superciliorum intercapedine ducto, mediocri magnitudine atque aequali decorato. Vallecula, quae inter nasum et os est interposita, divina quadam proportione formata est ; ore ad parvitatem verso, semper dulce quoddam subridente, basiola turmatim advolantia longe magis ad se trahente quam magnes ferrum advocet atque rapiat, cujus crassiuscula labella mellea ac corallina sunt ; dentes quoque parvi,

[1] In chap. 36, where Nifo is dealing with the proportions necessary to true beauty, he lays down the canon that " aurium utrarumque semicirculi una conjuncti oris aperti circulum faciant ".

perpoliti, eburnei ac decenter contexti ; an-
helitu, qui ex eo exhalat, admirabilem odoris
suavitatem redolente ; voce, quae non hominem sed Deam sonat ; mento convalle quadam
admodum interfecto ; maxillis niveo roseoque
colore affectis ; facie universa quae ad rotundi-
tatem tendens virilem vultum refert ; recto ac
procero collo, albo atque perpleno, inter hume-
ros illustri quadam ratione collocato ; pectore
amplo planoque, ubi os nullum cernitur . . . ;
crassiuscula admodum manu silvestri [1] parte
nivea, domestica [2] vero eburnea, quae facie ipsa
non est oblongior,[3] cujus pleniusculi digiti ro-
tundique non breves sunt, ungues subincurvi
atque pertenues colore perquam suavi . . . ;
humeris divina ratione ad caeteras corporis
partes commensuratis ; pedibus modicis, digi-
torum admirabili compositione structis, cujus
symmetria ac pulchritudo tanta est ut non in-
juria inter caelicolas collocari digna sit. Quod
si morum concinnitas, forma atque gratia tanta
est, non modum in rerum natura simpliciter
pulchrum, verum etiam nihil praeter hominem
pulchrum dicendum est.

[1] The back of the hand.   [2] The palm of the hand.
[3] Chap. 36, manus, cujus longitudo faciei longitudini
aequalis est.

3 8 *One of the favourite* technopaegnia *or* tours
de force *in verse of the later days of antiquity was
the echo-poem : examples of it are found in the
Greek Anthology. Among the best of the Renaissance examples is the following little poem by
Antonio Tebaldeo of Ferrara, a sixteenth-century
poet who has no other great claims to remembrance.*

ECHO

Dic, Echo, quid vult, ut semper vivam ego maestus ?
   Aestus.   Non facit hoc spes moriens ? *oriens.*
Mene urit facies ? *acies.*   Aciesne favilla ?
   Illa.   Diu miserum me fore reris ? *eris.*
Respicit hunc ramum ? *hamum.*   Laurum ? *aurum.*
      Et amor cor
   Accensum ? *censum.*   Corde recedet ? *edet.*
Estne silex ? *ilex.*   Quae causa meae est facis ? *Acis.*
   O rem animo exanimi pestiferam ! *aestiferam.*
Quid per tam longum parient mea lumina fletum ?
   Letum.   Scis quid sit, quem tu adamas ? *adamas.*

39 *The books of jests or* facetiae *so popular in the later Middle Ages and earlier Renaissance received fresh vigour from the publication of* Luther's Table Talk : *the anecdotes in the newer type of book were usually, however, more reputable than in the earlier collections, except when used to make points against monks or the papacy. One of the best is the* Joco-seria *of Otto Melander (his real name was Schwarzmann or Holzapfel), much of which seems derived from reminiscences (and perhaps written notes as well) of his father Dionys Melander, a Lutheran minister of some note. Although many of the stories are taken from classical and Renaissance writers, there is yet a large residue drawn from his own observation and that of his father, and much may be learned from them of German life (particularly in Hesse) in the second half of the sixteenth century. Otto Melander, born* 1571, *died in* 1640, *having renounced protestantism and been made an imperial councillor. The following story (No. 607 of vol. i., Nuremberg,* 1643) *is almost worthy of Boccaccio.*

Nobilis quidam Westphalus singulis fere diebus dominicis presbytero suo, homini juveni, facundo, et faceto, et non ita pridem ad Ecclesiae gubernacula admoto, prandium praebebat. Quum autem aliquando peregre proficisceretur, et ab arce sua jam miliare circiter dimidiatum abesset : Venit mihi, inquit famulo, rei nunc cujus-

114

dam in mentem, de qua quidem admoneri meam
conjugem, cum ipsius sane mea etiam plurimum
interest. Quamobrem pedem e vestigio[1] refer,
meque illi conceptis verbis serioque mandare
dic, ut ne presbytero me absente vel prandium
vel coenam det, neve toto isto tempore quod
abfuero meas in aedes illum intromittat, multo
autem minus ipsius domum ingrediatur, sed ab
ejus colloquio penitus se abstineat. Famulus se
heri mandatum hoc exhausturum affirmat. Ali-
quousque autem ab illo digressus sic secum
cogitabat et mussitabat : Nae venit hero meo in
mentem vereri ne presbyter hic noster novitius,
utpote juvenis adhuc, succi plenus, robustus,
speciosus, et salax, ipso absente conjugis pudi-
citiam impugnet, ideoque omni illi cum ipso
familiaritate interdicit. At noti mihi mehercule sunt muliercularum mores ; hae siquidem
ea demum committunt patrantque a quibus se
abstinere jubentur. Ne igitur illa nobis absentibus, contra heri mei interdictum, corpus suum
cum sacrifico[2] copulet, equidem herilis mandati
nullam prorsus apud illam mentionem faciam,
sed aliud quid comminiscar, quod illi per me
herus significari velit. Quid quaeris ? Vixdum

---

[1] *e vestigio* does not mean "from your path, from the
journey which we have begun", but is regular in such
Latin as this for "immediately, on the spot" (*cf.*
p. 87).   [2] See note on p. 119.

aedes nobilis ingresso famulo occurrit hera, et lacrymabunda percontatur, Ecquid sibi vult repentina ista tua reversio ? Salvaene satis mei mariti res ? Salvae vero, inquit servus. Sed unum est, quamobrem herus me ad te remiserit, de quo te etiam atque etiam ipsius nomine admonerem. Vult scilicet et jubet nobilis meus, ut ne se absente cum molosso [1] hoc nostro loris assuefacto lusites, aut ipsi insideas ; metuit enim ne te ille forte mordeat, quod eum admodum irritabilem et ad mordendum proclivem esse norit. Ad quae hera respondet : Ecquae vero (malum) haec est inhibitio ? Mihi mehercule de cane vel demulcendo vel conscendendo ne per somnium quidem unquam in mentem venit. At scio neminem omnium vivere, qui unquam me cum cane aut lusitantem aut insidentem illi conspexerit. Quapropter ista admonitione ad me quidem nihil opus erat. Servus igitur ad herum remeaturus infit : Intellexti, hera, quid viri tui verbis tibi praeceperim ? Cave igitur faxis, ut dicto illi minus audiens fuisse videaris. Hera autem, Redi, inquit, ocyus ad meum nobilem, eique omnia fausta precatus dic ut tranquillo sit animo, meaque caussa non laboret, mihi namque curae futurum, ut re ipsa intelligat me hac quoque in parte, ut in aliis omnibus, fuisse ipsi morigeram.

[1] A hound, big hunting dog.

Caeterum famulus vixdum illi dorsum obver-
terat, ecce tibi, Mirari satis nequeo, hera inquit,
cur meus mihi maritus prohibeat ne molossum
demulceam aut conscendam. Magni profecto
quid subsit oportet, cur hoc a me fieri nolit.
Ipsa mecastor in memoriam redire non possum
tale quid unquam a me tentatum, nedum factum
fuisse. Quid multa ? Dispeream equidem, si
eum hactenus digitulo [1] attigerim. Haec cum
admirabunda secum mussitasset, panes mox
profert, quos cum avide devorare canem ac
ipsi adblandiri insuper conspiceret, plures profert et eum ad satietatem usque pascit : tandem-
que illum manu etiam demulcet, factura nimirum periculum [2] tamne irritabilis foret, quam
esse illum maritus per stabularium renuncia-
verat. At vero postquam mulier animadvertit
canem istam tractationem patienter ferre : Nae
valde tractabilis, inquit, molossus hic est noster,
ac simul ipsi insidens dorsum illius natibus non-
nihil premit. Hic igitur canis ringitur, dentes-
que mulieris brachio infigit, morsuque misere
consauciat, ita ut chirurgum sanandis vulneribus
adhibere illa cogeretur.
Interjectis aliquo⟨t⟩ diebus nobilis domum reversus conjugem lecto affixam, aegram et palli-
dam offendit. Qua re attonitus : Ecquid hoc
infortunii est, mea lux, inquit ? Huic illa : Tua

[1] " With the tip of my finger."   [2] Trial, experiment.

culpa in hoc malum incidi, respondet; nisi enim tu per stabularium mihi renunciasses ne cum molosso lusitarem, nunquam illum attrectare fuissem ausa. Nobilis igitur uxori se purgans Jovem lapidem [1] jurat tale quid se per famulum non renunciasse, famulumque accersitum sic affatur: Egone tibi mandavi, furcifer, ut diceres conjugi meae ne canem demulceret? Minime vero, inquit, sed ut illi interdicerem ne nobis absentibus sacerdotem in aedes tuas intromitteret. Alterum illud ego commentus sum, quippe qui non ignorabam consuesse mulieres ea demum facere, quibus illis interdicitur. Itaque si illi omni presbyteri commercio ac consuetudine interdixissem, admisisset illa haud dubie presbyterum, et haberes tu jam pro honesta uxore foedum prostibulum. Id ego scilicet malum amoliri studui, quem non fugiebat mulierem semper niti in vetitum,[2] cui eidem rei et hoc ipsum fidem facit, quod canem demulserit ac conscenderit, ut maxime hoc vetue-

---

[1] An expression, taken from the religion of ancient Rome, for an unusually solemn oath. See the Latin Lexica *ss.vv.* for the various explanations that have been given of the origin of such an oath, mentioned by Cicero and by Aulus Gellius.

[2] The curiosity of women and their inclination to the forbidden is a commonplace of medieval stories, and indeed of all ages and places. *Bluebeard* is perhaps the most obvious example.

118

rim. Nobilis igitur servi prudenti consilio ap-
probato, illum majori deinceps in pretio habere
coepit, ac satius omnino esse respondit uxorem
suam a cane morsam, quam a mysta [1] isto con-
stupratam esse.

❧ ❧ ❧ ❧ ❧

40 *How the cause of Protestantism was popularized,*
ibid., vol. iii. No. 351.

De vetula quadam dentibus cassa, ideoque Coenam Domini percipere recusante

In quodam Hassiae inferioris oppido, cum pleri-
que cives renuerant Coenam Domini perinde
percipere atque et Christus eam cum discipulis
celebrasset, et Princeps illam paterque patriae

[1] " Mass-priest ", a derogatory term, like *sacrificus*,
applied to the clergy by their enemies. Isaac Vossius,
canon of Windsor (an extraordinary man, of whom
Charles II. said—in words that might be applied to
many of the higher critics of the present day—that " he
believes everything he reads except the Bible "), when
asked about an old friend who had become a parish
priest in the country, replied, " Sacrificulus decipit populum ". In the present volume of *Facetiae*, however,
mysta is occasionally applied to the Lutheran clergy as
well.

celebrare omnes in partes vellet, placitum fuit ad extremum Reipublicae istius proceribus, ut Xenodochii sui incolas[1] admonerent ac quodammodo compellerent, ut ipsi priores ad sacram synaxim accederent. Spes enim ipsos tenebat nonnulla, futurum utique ut ipsis ad eam adeuntibus, alii quoque cum devexa aetate homines, tum adulescentiores etiam, illorum exemplo excitati, Coenam Domini deinceps eo proclivius perciperent. Proinde illi acciuntur, jubenturque ad proximum diem solis eucharistiam percipere. Esse vero ad unum omnes imperata facturos sese, sine ulla recusatione, confirmant atque recipiunt ; unica tamen anicula, multi cibi bonorumque dentium mulier, inventa fuit que tergiversari atque abnuere minime dubitavit, dictitans : " Ego vero, prudentissimi domini, panem istum qui nunc quidem (o tempora ! o mores !) in administratione Coenae adhibetur, conficere et extenuare, nedum deglutire, minime omnium valeo, propterea quod edentula propemodum jam nunc sim, magna caeteroqui voluntate idipsum factura ". Quid autem fit ? Vix aut ne vix quidem haec effata fuerat refractaria, ecce tibi praetor falsum hunc illius praetextum impiamque tergiversationem acerbe ferens, non

[1] It is said that in more modern times the inmates of work-houses have been found of value for experimental purposes.

120

sine stomacho hanc continuo emittit vocem :
"Ventone tu igitur victitas ac vitam toleras
tuam ? Potesne, cedo [1] quaeso, eum tu panem
et mollire et mandere et manducare denique,
qui tibi tum pransurae, tum coenaturae a Xenodochii praefecto apponitur ac praebetur ? " Id
cum negare illa haud posset, sed nolens volens
cogeretur fateri, respondet ille : " Itaque et
eum tu panem minime respues, qui in sacrae
Coenae celebratione exhibetur, aut primo quo-
quo die Xenodochium istud nostrum purga-
bis [2] ". Illa ergo audiens facessendum sibi e
Xenodochio, siquidem magistratui hac in parte
morem non gereret ac obsequeretur, obedire
jam nunc ejusque dicto audiens esse quam esu-
rire in posterum maluit. Atque sic quidem cum
caeteris augustissimum illud Domini JESU con-
vivium epulumque non tum modo sed postea
etiam, quoties illud celebraretur cunque, pie re-
ligioseque iniit. Neque vero ulla deinceps fuit
ex ipsa de dentium suorum aut paucitate aut
pravitate aut hebetudine denique audita a quo-
quam querimonia.

[1] " If you please " (sarcastic).
[2] This is what is called the inculcation of religion by
moral suasion.

41 *The Higher Criticism does not appear to have fared much better under Lutheranism than under the old religion, ibid., vol. iii. No. 354.*

DE MICHAELE HEROLDO, ET JOANNE SMINECIO, RURIS PLENO HOMINE

Annos quadraginta, eoque amplius, *M. Michael Heroldus*, vir venerandus et pereruditus, et egregie pius, quem honoris causa nomino, Ecclesiae Cassellanae praefuit ; quum ante quidem in rure aliquot Ecclesiis laudabiliter utiliterque inserviisset, suamque ipsis fidem atque industriam aeque atque Cassellanae cumulate probasset abundeque. Hic cum *Honae* praeconis Evangelii officio fungeretur, evenit ut pro concione aliquando diceret nemini omnium fuisse ullo unquam tempore impune, siquidem in verbi divini ministros insultasset, injuriaque eos aut contumelia affecisset aliqua. Cui rei ut fidem faceret, exempla complura, cum ex sacris literis, tum ex historiis ecclesiasticis, tum vero ex quotidiana experientia depromta in medium afferebat : in quibus quidem et illud de quadraginta duobus pueris fuit, quos ursi dilaniassent duo ac membratim discerpissent, quum Elisaeo vati medium ostendere digitum atque adeo illudere, absterso omni pudore fronteque perfricta, fuissent ausi. Hanc historiam *Joannes* quidem

122

Sminecius, ille quidem ejus Ecclesiae *Senior*, sed homo mirum in modum insulsus, ac de munere isto (sibi non judicio sed errore assignato) mirifice placens, cum audiret, coepit illico frontem ferire, et caput scalpere, et oculos huc illuc conjicere, et tacite secum ridere, et gestibus denique totius corporis omnibus prae se ferre atque ostendere verisimilia sibi ea minime fieri quae quidem a Pastore affirmarentur. Ne multa ; finita concione cuidam sibi assidenti in aurem insusurrans ait : " Equidem imperare mihi non possum quin istam concionem, utpote Ecclesiae hujus *Senior primarius*, Pastori in os regeram, ac probe reddam ipsum probeque depexum ". Itaque ex aede mox sacra provolans in coemeterio consistit, inibique Pastorem praestolatur dum exeat, egredientemque hanc in rationem alloquitur : " Papae, Domine Pastor, quam inepta fuit ac nugatoria hodierna ista tua concio ! Eccunde cedo quaeso illam hausisti ? Numnam e quadam netricum [1] officina ? Crediderim equidem. Vel isthaec tua de quadraginta duobus pueris ab ursis duobis discerptis narratiuncula, quam lepida fuit, O Dii, quam ridicula, quam anilis denique fabula ! Ecquem nostrum ita hebetem excordemque esse reris, ut fidem tibi hac quidem certe in parte exhibeat ? Cave idipsum putes : cave item imposterum istiusmodi nos

[1] Proverbial gossips.

gerris, Siculis [1] mehercule vanioribus, ne obtundas. Quid quaeris? Teneri profecto vix poteram quin te exsibilans mendaci manifesto coarguerem." Eo Heroldus audito stomacho confestim iracundiaque effervescit, caeteris praesertim rusticis effuse ridentibus, istaque cachinnatione sua haud obscure declarantibus sibi idem atque stipiti isti de illius concione videri. Quamobrem balatroni isti non sine stomacho haec in verba respondet: "Tibine ergo, caudex,[2] mendacium dixisse ego atque liberas naenias protulisse videor? Tunc historiam istam sacram in fabulae cujuspiam numero locoque ducis? Nae tu, asine, indignus es ergo qui posthac *Senioris* personam partesque hac in Ecclesia sustineas." Nec mora, istuc illi munus mox moxque abrogat, ac dicam[3] ipsi insuper ad Othonem Wernerum, Reipublicae Eschuicensis Quaestorem, cognatum meum, impingit: qui asinum istum acriter objurgatum cum in carcerem compingit, tum aureis etiam quinque mulctat.

42 *It may be well to place on record the profession of faith which used to be required at Cambridge from persons proceeding to the degree of Doctor in*

[1] Nursery rhymes, fairy-tales.   [2] "Blockhead!"
[3] *Dicam*, a law-suit.

Divinity [1] : *the requirement was abolished some twelve years ago, when the degrees were thrown open to others than members of the Church of England. Although it seems first to appear in the " Ordinances " of the University early in the nineteenth century, it is certainly of an earlier date.*

In Dei nomine, Amen. Ego A.B. ex animo amplector universam sacram scripturam canonicam veteri et novo testamento comprehensam, omniaque illa, quae vera ecclesia Christi, sancta et apostolica, verbo Dei subjecta et eodem gubernata, respuit, respuo ; quae tenet, teneo ; et in his omnibus ad finem usque vitae perseverabo, Deo mihi pro summa sua misericordia gratiam praestante, per Jesum Christum Dominum nostrum.

43 *Modern attempts at composition in medieval Latin are not often happy. The following poem from Baudelaire's* Fleurs du Mal, *published in* 1857, *draws its inspiration from classical sources as well as from litanies to the Blessed Virgin, and attains a*

[1] Note that the holder of this degree is properly called, especially if Latin is being used, S.T.P. (Sanctae Theologiae Professor) as well as D.D.

high standard in its imagery and restraint, which do not too easily coexist. It was written, we are told, " in honour of a pious and learned modiste ".

Readers of Latin poetry written by Frenchmen must remember that French accentuation—an equal accent on every syllable, almost reaching, it sometimes seems to us, a heavier accent on the last—is carried into the pronunciation of Latin words. Thus in the charming Easter hymn, " O Filii et Filiae " (familiar to English churchgoers as " O Sons and Daughters, let us sing "), we must read and sing,—

> *Et Máriá Magdálené*
> *Et Jácobi et Sálomé*
> *Venerunt corpus tangere,*

and the principle must be remembered in reading Baudelaire's Franciscae meae laudes.

> Novis te cantabo chordis,
> O novelletum quod ludis
> In solitudine cordis.
>
> Esto sertis implicata,
> O foemina delicata
> Per quam solvuntur peccata.
>
> Sicut beneficum Lethe,
> Hauriam oscula de te,
> Quae imbuta es magnete.

126

Quum vitiorum tempestas
Turbabat omnes semitas,
Apparuisti, Deitas,

Velut stella salutaris
In naufragiis amaris . . .
Suspendam cor tuis aris !

Piscina plena virtutis,
Fons aeternae juventutis,
Labris vocem redde mutis !

Quod erat spurcum, cremasti ;
Quod rudius, exaequasti ;
Quod debile, confirmasti !

In fame mea taberna,
In nocte mea lucerna,
Recte me semper guberna.

Adde nunc vires viribus,
Dulce balneum suavibus
Unguentatum odoribus !

Meos circa lumbos mica,
O castitatis lorica,
Aqua tincta seraphica ;

Patera gemmis corusca,
Panis salsus, mollis esca,
Divinum vinum, Francisca !

44 *Lord Dufferin, visiting Iceland, Jan Mayen Island and Spitsbergen in* 1856 *in his schooner* Foam, *published in* 1857 *his most excellent account of his travels under the title of* Letters from High Latitudes. *In Chapter VI. he describes a noble banquet offered to him by the dignitaries of Reykjavik, and it is clear that at that date not even the beginnings of the prohibitionist campaign had reached Iceland. On the second occasion when his health was proposed—by the Bishop, " in a magnificent Latin oration of some twenty minutes ", he replied, he tells us, in the same language. The footnotes are his own : " a translation ", he calls them, " for the benefit of the unlearned ".*

Viri illustres, *I began,* insolitus ut sum ad publicum loquendum, ego propero respondere ad complimentum quod recte reverendus prelaticus mihi fecit, in proponendo meam salutem : et supplico vos credere quod multum gratificatus et flattificatus sum honore tam distincto.
Bibere, viri illustres, res est, quae in omnibus terris " domum [1] venit ad hominum negotia et pectora " : requirit " haustum [2] longum, haustum fortem, et haustum omnes simul " : ut

[1] " Comes home to men's business and bosoms."— " Paterfamilias ", *Times.*
[2] " A long pull, a strong pull, and a pull altogether."— Nelson at the Nile.

128

canit Poeta, " unum [1] tactum Naturae totum orbem facit consanguineum ", et hominis Natura est—bibere.[2]

Viri illustres, alterum est sentimentum equaliter universale : terra communis est super quam septentrionales et meridionales eâdem enthusiasmâ convenire possunt : est necesse quod id nominarem ? Ad pulchrum sexum devotio !

Amor [3] regit palatium, castra, lucum : dubito sub quo capite vestram jucundam civitatem numerare debeam. Palatium ? non Regem ! Castra ? non milites ! Lucum ? non ullam arborem habetis ! Tamen Cupido vos dominat haud aliter quam alios,—et virginum Islandarum pulchritudo per omnes regiones cognita est.

Bibamus salutem earum, et confusionem ad omnes bacularios : speramus quod eae carae et benedictae creaturae invenient tot maritos quot velint,—quod geminos quotannis habeant, et quod earum filiae, maternum exemplum sequentes, gentem Islandicam perpetuent in saecula saeculorum.

[1] " One touch of nature makes the whole world kin."— Jeremy Bentham.
[2] Apophthegm by the late Lord Mountcoffeehouse.
[3] "Love rules the court, the camp, the grove."— Venerable Bede.

45 There have been many modern attempts to revive the use of Latin as a universal language—a more scholarly rival of Volapuk, Esperanto, and Ido. The best chance of any general adoption seems to be that it is already the language of one institution almost co-extensive with the civilized world—the Roman Catholic Church, and it is probable that many Englishmen abroad have found a few words of Latin useful in conversation with a priest casually met.

The following letter is a curious example of its use in a matter partly ecclesiastical, partly commercial. There is a Benedictine Monastery at Einsiedeln in Switzerland, which has for many years published through the great Catholic printing firm of Benziger an annual calendar, in the German language, entitled the " Einsiedler Kalender ". In the 1916 issue portraits were inserted of Lord (!) Asquith and Sir Edward Grey, with the caption beneath them, " English Ministers, the two chief instigators (Hauptanstifter) of the War ".

It was felt by the British Government that such an unneutral publication could not be allowed to pass without notice, and British Consuls in Switzerland were accordingly instructed to refuse to the firm of Benziger the " certificates of origin and interest " without which their publications could not leave Switzerland for foreign countries through Allied territory.

Meanwhile Cardinal Gasquet, as Protector of the

130

Benedictine Order, had been informed of what had happened, and had written to the Abbot of Einsiedeln on the matter through the Abbot Primate of the Benedictines. The Abbot of Einsiedeln had already been told by Benziger of the damage caused to their trade by the British Government's action, and so he answered the Cardinal as follows :

Ex Monasterio Einsidlensi
de die 30 *Julii* 1916.

Eminentissime Domine Princeps,

Ex litteris Eminentiae Vestrae Reverendissimae ad Reverendissimum Abbatem nostrum Primatem de quibus iste suo tempore certiorem me fecerat scio, Eminentiae Vestrae notum esse textum ex parte infelicem et neutralitati contrarium Fastorum Einsidlensium quibus titulus : " Einsiedler Kalender für das Iahr 1916 ", quem textum omnino non cognovi priusquam Abbas Primas de litteris ab Eminentia Vestra acceptis mihi locutus erat. Ad animadversiones dominis Benziger factas isti se maxime dolere dixerunt, quod textus ille chronistae Fastorum et dictum praesertim de auctoribus belli actualis ex inanimadversione et incuria fuerit receptus et anno venturo se ad praecavendos errores nullam omnino de variis belli eventibus relationem in Fastos admissuros esse.

Hisce vero diebus Dominus Carolus Benziger,

caput totius Officinae, ad me venit petens enixe, ut ad Dominationem Vestram Eminentissimam scribere vellem, ut pro ipsis dominis Benziger intercedere dignaretur apud Gubernium Altum Britanniae. Ex illa enim inanimadversione in Fastis commissa maxima ait damna pro Officina Benziger esse exorta. Sic, exempli gratia, dominos Benziger a Consulibus Britanniae in Helvetia non amplius recipere testimonia [1] ad merces in varias regiones evehendas et ideo omnem etiam eorum cum magna domo catholica " Benziger et Fratres " in New York relationem esse interruptam, quod magno etiam damno domum illam ab Einsidlensi separatam Americanam afficeret. Et ideo suadente quoque Domino Angst, antiquo Consule Generali Britannico in Helvetia, cum quo uniti eramus duobus abhinc annis in Brunnen, Dominus Benziger ad me se vertit, ut ab Eminentia Vestra implorarem auxilium, ut nempe in favorem Officinae Benziger intercedere dignaretur apud illos ad quos spectat, ut Gubernium pro gratia Dominis Consulibus in Helvetia concedat, ut Officinam dictam in favorem iterum recipiant. Quamvis Domini Benziger in lingua praecipue germanica opera sua imprimant et magnas in Germania domos succursales habeant, promittunt tamen sincere, se in posterum omnes contra

[1] The certificates of origin and interest.

132

neutralitatem errores vitaturos et ideo, ut jam scripsi, etiam pro anno venturo nullam omnino de anno elapso relationem chronisticam edituros esse.

Cui petitioni Officinae dictae catholicae sincere me adjungo. Indulgentia ista novum erit signum notae illius Gubernii Britannici magnanimitatis.

Nacta hac occasione exprimere mihi liceat spem, nos Eminentiam Vestram iterum in Sanctuario nostro aliquando salutare posse. Nunc per duas hebdomadas apud nos habuimus Reverendissimum Dom. Abbatem Generalem Serafini.

Maxima cum reverentia Sacram Purpuram deosculans

remaneo in aestimatione et caritate sincera

Eminentiae Vestrae

addictissimus

✠ Thomas Bossach
Abbas Einsidl.

APPENDIX OF METRICAL FORMS

1. (*d*) Iambic trimeter, quantitative.
   (*f*) Elegiac couplet, quantitative.
   (*j*) Elegiacs, quantitative. [The first couplet is increased by an additional hexameter, an irregularity not uncommon in vulgar Latin.]
   (*l*) Iambic dimeters, quantitative.
   (*m*) Two iambic trimeters, quantitative.
4. Iambic dimeters, quantitative, in four-line stanzas.
8. Iambic trimeters, in couplets, chiefly accentual.
12. Dactylic tetrameters, accentual, in six-line rhyming stanzas.
16. Leonine [1] hexameters ("*trilices cristati*"), quantitative, in rhyming couplets, with internal rhyme in each at the second and fourth feet.
17. Iambic dimeters, accentual, in six-line stanzas *aabbcc*.
19. p. 55. Dactylic tetrameters, accentual, in four-line rhyming stanzas.

[1] "Leonine", applied to hexameters or elegiacs, means that there is a rhyme, either at the end of the line or internal.

134

pp. 56, 58. Four-line rhyming stanzas, accentual, of a trochaic line :

$$- \cup \mid - \cup \mid - \cup \mid - \parallel - \cup \mid - \cup \mid - \cup.$$

p. 59. Leonine hexameters, quantitative.

22. *Juvenes* . . . irregular rhyming lines, accentual.
Alte clamat . . . Rhyming trochaic dimeters in couplets, accentual.

24. Dactylic tetrameters, mostly accentual, allowing trochaic substitutions, except in the last foot.

26. As the poems in 19 (pp. 56, 58).

28. Dactylic dimeters, accentual, in six-line stanzas, *aabccb*.

29. Dactylic tetrameters, accentual, in four-line[1] rhyming stanzas, allowing trochaic substitutions except in the last foot.

30. A four-line trochaic stanza, accentual :

$$- \cup \mid - \cup \mid - \cup \mid - \cup$$
$$- \cup \mid - \cup \mid - \cup \mid -$$
$$- \cup \mid - \cup \mid - \cup \mid - \cup$$
$$- \cup \mid - \cup \mid - \cup \mid -$$

Lines 1 and 3 have internal rhymes, 2 and 4 rhyme with each other.

---

[1] I have printed this poem as if it were in two-line stanzas with an internal rhyme.

31. The first and third are elegiacs, the second hexameters. All quantitative.
36. p. 105. Irregular rhyming couplets, accentual.
38. Elegiacs, quantitative.
43. Iambic dimeters, accentual, in three-line rhyming stanzas.

INDEX

138

FINIS